CW00382420

Markus Litz

Hegels Gespenst

Eine Erzählung

Umschlaggestaltung: Stuart J. Nessbach
Titelbild: Francisco de Goya,
Der Schlaf der Vernunft gebiert Ungeheuer, 1797 - 1799,
Museo de Calcografía Nacional, Madrid

Verlag und Druck: tredition GmbH, Halenreie 42, 22359 Hamburg

„Das schlimmste Tier ist der Skorpion.
Der schlimmste Mensch ist der Gelehrte."

Abessinisches Sprichwort

Wie es anfing

Jeder sieht mitunter Gespenster, und sei es auch nur der ins Ungeheuerliche verzerrte eigene Schatten. Gespenster erscheinen überwiegend in Träumen, seltener während des Tages. Für kleine Kinder und die von Ängsten beherrschten Zeitgenossen sind sie Ausgeburten der Nacht, ein augenaufreißender Schrecken, der einen plötzlich wie ein Tier anspringt und dann wieder vorübergeht. Für den denkenden Menschen jedoch sind sie nichts weiter als Blendwerk, Trugbilder, reine Phantome.

Vollkommen anders verhielt es sich mit jenem Gespenst, das den Philosophen Hegel im Verlauf von sieben aufeinanderfolgenden Nächten heimsuchte, und seinen angeborenen Gleichmut merklich erschütterte. Es war schwarz wie der Mohr von Venedig, deutlich höher gewachsen als ein durchschnittlicher Student, sehr jung und muskulös, es hatte krauses widerborstiges Haar, und dazu einen Gesichtsausdruck, der selbst einen Löwenbändiger hätte einschüchtern können.

In gewisser Weise erinnerte sein Gesicht an jemanden, ohne daß dessen Name jedoch geläufig wäre. Möglicherweise verfügte es über eine Vielzahl von Namen. Zudem besaß das Gespenst die seltene Eigenschaft, in Sekundenschnelle auf Zwergengröße schrumpfen zu können, oder sich aus lebloser Materie in einen springlebendigen Körper zu verwandeln.

Das Gespenst sprach anfangs in einer Sprache, die dem Professor Hegel zunächst als das befremdlichste Kauderwelsch vorkam, welches ihm jemals zu Ohren gekommen war. Es klang in seinen Ohren wie eine Art Schmatzen, als verzehrte die Erscheinung im Sprechen ihre eigenen Worte. Der seltsame Redefluß wurde immer wieder unterbrochen von Zischlauten und Zungenschnalzen. Das Merkwürdige aber war, daß der Philosoph, sobald sich sein Gehör an dieses ungewöhnliche Sprachgeräusch gewöhnt hatte, es auf einmal wie wohlgefügte deutsche Sätze wahrnahm. In den folgenden Nächten sprach es dann aber so wie die meisten. Klar und verständlich. Eine überaus seltsame Transposition seiner nächtlichen Einbildungskraft.

In jener Zeit, als es mit den erwähnten Träumen anfing, war Hegel bereits Mitglied der *Gesetzlosen Gesellschaft zu Berlin*. Diese tagte alle zwei Wochen im Englischen Haus an der Mohrenstraße. Zu den Gesprächsrunden, die stets verbunden waren mit einem üppigen Festmahl, traf sich ein exklusiver Kreis von Herren, die meisten unter ihnen Gelehrte, Wissenschaftler, Literaten und Politiker. Sie debattierten an diesen Abenden ausgiebig und angeregt über Gott und die Welt. Es gab Sherry und reichlich Portwein, dazu meist Rinderbraten in einer dunklen würzigen Sauce, außerdem Kartoffelpüree und in Burgunder gekochtes Blaukraut, abschließend einen rosinengespickten Pudding von solch dunkler Konsistenz, daß man nur rätselraten konnte, woraus er sich zusammensetzte.

Aber es schmeckte. Und die Herren vergaßen die Zeit, das schlechte Wetter, die zugigen schmutzstarrenden Straßen, den märkischen Sand, das häusliche Unglück, die Querelen an der Universität, den melancholischen König und jene finsteren, freudlosen Jahre der Restauration. Es gab nur noch Essen und Trinken, und die Gedanken, welche, gelöst durch den Wein, wie kleine Blitze befreit durch den Raum zuckten.

Im Englischen Haus bedienten vier Mohren, späte Nachkommen jener unter der Regierungszeit des Kurfürsten Friedrich Wilhelm von Brandenburg aus Westafrika verschleppten Jungen, die im letzten Viertel des 17. Jahrhunderts in die preußische Hauptstadt gekommen waren, als es die Handelskolonie „Groß-Friedrichsburg" noch gab.

Groß-Friedrichsburg sei – so die übereinstimmende Meinung der meisten Herren der „Gesetzlosen Gesellschaft" – ein wahrer Segen für das Land Kurbrandenburg gewesen. „Nicht nur für die Brandenburger, sondern auch für die glücklich zu schätzenden Bewohner jener Gebiete, aus denen sich der afrikanische Zipfel des brandenburgisch-preußischen Reiches zusammensetzte", fügte Hegel dann mit einem wissenden Lächeln hinzu.

Aus dieser fernen Kolonie an der Küste Westafrikas kamen erst Pfeffer und Paradieskörner, dann Elfenbein und Kakao, schließlich, und nicht zu vergessen, auch etliche Hundertschaften von Sklaven, die man aus dem Landesinneren entführt, in Ketten gelegt, an die Küste verbracht und von dort aus bis zu den Häfen von Brandenburg verschifft hatte. Von diesen Jungen und jungen Männern landeten die meisten in den Schlössern und Häusern des Adels.

Dort wurden sie zu Kammerdienern, Kutschern und Gärtnern ausgebildet, und kamen zudem in den Genuß einer christlichen Erziehung. Als ihre männliche Lust allzu groß wurde, erbarmte man sich ihrer, und ließ auch ein paar Dutzend Frauen aus ihren heimischen Gegenden nachkommen, so daß sie ihre Geschlechtsnot stillen und Familien gründen konnten.

So entwickelte sich mit der Zeit eine kleine afrikanische Kolonie mitten im Brandenburgischen, die anfangs eine vollkommene Kuriosität, später dann zu einem nicht mehr ganz so ungewöhnlichen Anblick wurde. Man sah und übersah jene ihrer Heimat beraubten Menschen, und ließ sie im Hintergrund leben und wirken, ohne daß es schließlich irgendjemandem mehr auffiel. Seit Beginn des Jahrhunderts sah man auch einige von ihnen vermehrt in mehr oder weniger achtbaren Vergnügungsstätten, ebenso auf Rummelplätzen und Jahrmärkten der Umgegend der Hauptstadt.

Die Glanzzeit der Kolonie Groß-Friedrichsburg währte nicht einmal ein halbes Jahrhundert. 1717 wurde sie für den Preis von siebentausendzweihundert Golddukaten und zusätzlich zwölf Mohren an die Niederländisch-Westindische Compagnie verkauft. Holländer, so betonte Hegel mit einigem Nachdruck, seien insgesamt betrachtet weitaus geschäftstüchtiger als die Deutschen, da das Geschäftemachen eine gewisse Nüchternheit, phantasielose Bauernschläue und eine naive Lust an der Geldvermehrung voraussetze.

Von diesen Eigenschaften, so sagte Hegel mit fester Stimme und schwäbelndem Klang, hätten die kultivierteren Deutschen eher wenig abbekommen, und das sei auch gut so. Die anderen Herren schwiegen.

Als der Kanariensekt zum Nachtisch kredenzt wurde, fiel einem der kellnernden Mohren plötzlich das Tablett aus der Hand. Es war, dem Augenschein nach zu urteilen, ein älterer Mann, dessen krauses Haar sehr silbern glänzte. Jemand hatte nämlich den Namen Johann Kuny ins Gespräch geworfen, und bei der Erwähnung dieses Namens war dem silberhaarigen Kellner, vor Schreck oder aus irgendeinem anderen Grund, der Sekt aus der Rechten gefallen.

Johann Kuny, auch Jan Conny, Johannes Conrad, Jean Cunny, John Conni oder Nana Konneh genannt. Ein geschickter Makler, Zwischenhändler und Händler zahlreicher Dinge, der gleichfalls mit Sklavenhandel seinen Reichtum mehrte. Außerdem berüchtigter Anführer einer Privatarmee in brandenburgischen Diensten. Vielleicht der erste Mann aus Ghana, welcher, obwohl er so schwarz wie die Nacht war, eine schneeweiße Paradeuniform des brandenburgischen Generalstabs trug, und an Sonntagen auch eine gepuderte Allongeperücke. Um seinen prächtigen Bauch spannte sich eine purpurfarbene Seidenschärpe und er trank wechselweise Whisky und Cognac aus einem silbernen Becher, verziert mit dem Wappen des Kurfürsten: der rote Adler auf glänzendem Grund.

Johann Kuny: ein Name, der seine Gegner erzittern ließ. Nach dem Abzug der Brandenburger im Jahre 1717 verteidigte er ein geschlagenes Jahr die Festung des Kommandanten gegen die nachrückenden Holländer. Da er über Musketen und Kanonen verfügte und dazu noch ein paar Hundertschaften von treu ergebenen Schlägern wie wilder Honig an seinen Fersen klebten, vermochte er nicht nur den Holländern Widerstand zu leisten, sondern sich auch einen legendären Ruf als *schwarzer Preuße* zu erwerben.

Selbst hundert Jahre nach jenen Ereignissen sei sein Name noch immer bekannt, betonte der alte Buttmann, welcher gerade noch darüber gejammert hatte, daß die von ihm gegründete *Gesellschaft der herodotliebenden Freunde* erst kürzlich wegen Mangel an Nachwuchs eingegangen war. Irgendjemand lachte kurz und hämisch, was Buttmann ziemlich erboste. Der Faltenwurf seiner Stirn: ein Aufruhr um nichts.

Hegel sah sich zum Aufbruch genötigt. Es war schon herbstlich an diesem achtzehnten September 1830. Auch schien es dem Philosophen sicherer, nicht allzu spät zu Hause anzukommen. Am Tage zuvor hatte es nämlich eine Revolte von Schneidergesellen gegeben, die wegen der ihrer Ansicht nach unzumutbaren Arbeitsbedingungen auf die Straße gegangen waren. Der Aufruhr war jedoch vom herbeigerufenen Militär rasch niedergeschlagen worden. Dragoner und Ulanen ritten an jenem Abend mit gezogenem Säbel durch die Straßen, und lösten so einen Menschenauflauf am Schloßplatz auf. Es soll wohl auch Verletzte und zahlreiche Verhaftungen gegeben haben.

Unerfreuliche Zeiten, meinten die besorgten Mitglieder der Gesetzlosen Gesellschaft. Es gilt, rasch eine Kutsche zu finden, die einen sicher nach Hause bringt, sagte sich Hegel. Vor dem Eingang des Englischen Hauses warteten zwei Kaleschen, eine davon mit heruntergeklapptem Verdeck. Kein Kutscher weit und breit, nur ein Straßenjunge in verdreckten Kleidern, der auf dem Kutschbock herumlümmelte. Der Junge gab etwas von sich, das wie eine Beschimpfung klang. Dazu schnitt er eine Grimasse, zog die Nase geräuschvoll hoch und spuckte seinen Rotz in hohem Bogen auf die Straße.

Irgendetwas irritierte den Philosophen. Vielleicht der freche Gesichtsausdruck dieses Rotzlöffels, oder es mochte vielleicht der schneidende Wind sein, welcher plötzlich von Osten her wehte. Doch als ein schwarzgekleideter Kutscher scheinbar aus dem Nichts hervorkam, hatte er bereits vergessen, was ihn derart befremdet hatte.

Die erste Nacht

Es ist gegen neun Uhr abends, als Hegel sein Haus am Kupfergraben erreicht. Der Gedanke einer bevorstehenden Verwilderung der Zukunft läßt ihm während der holprigen Fahrt auf dem vom Regen geschwärzten Kopfsteinpflaster mehrmals den Atem stocken. Er memoriert Namen, mischt wirkliche und erfundene. Eine Prozession imaginärer Larven, die nicht aufzuhalten ist. Auf halbem Weg spürt er einen kleinen Schmerz am linken Auge; eine Nadel, die ins Tränenbein sticht. Er hört den Regen nun deutlich, doch diesmal beruhigt es ihn nicht. Auf dem schwarzen Pflaster glaubt er plötzlich etwas aufblitzen zu sehen, was eine entfernte Ähnlichkeit mit einem Raubtierfell haben könnte. Sicher nur eine getigerte Laune der Einbildung.

Alles ist mehr oder weniger in Auflösung begriffen, denkt er, während ihm die Haustür von einem weiblichen Schatten geöffnet wird. Die Aufwartefrau ist verschnupft und macht ein griesgrämiges Gesicht, als sie ihn erblickt. Die Kinder seien bereits zu Bett und seine Frau noch bei einer Freundin, die auch an einem Katarrh litte.

Alle sind krank, denkt sich Hegel, während er den Stoß Zeitungen sortiert, der auf dem Tisch im Empfangszimmer liegt. Krank und verdorben. Lauter Zerfall, ungeordnete Lebensreste. Ein Berg von zusammenhanglosen Vorgängen und Tatsachen. Das ist der Kehrichthaufen der Geschichte. Man sollte sämtliche Zeitungen verbrennen, und mit der Asche andere Namen in den Staub schreiben.

Unter dem Stapel der Neuigkeiten findet sich auch ein sorgfältig ausgeschnittener kleiner Artikel über seine Rede anläßlich des dreihundertsten Jahrestages der Augsburger Konfession. Gänzlich verdreht, meint er, während er den Artikel nochmals überfliegt, alles nur halbgares Zeug. Zerstörung der Familie durch den Zölibat, Vergötzung der Armut und Vernichtung des Fleißes durch Faulheit, Auflösung der Gewissenhaftigkeit durch blinden Gehorsam, all das seien die Krebsübel des Katholizismus, welche die protestantische Konfession hingegen längst hinter sich gelassen habe. Meinungen, halbgare Gedanken.

Es kommt ihm mit einem Mal seltsam vor, was er da gesagt und geschrieben hat. Als hätte nicht er, sondern ein Anderer dieses geschrieben. Die Worte zerfallen einem im Mund, zerbröckeln im Nachdenken. Unaufhörlicher Gedankenabbau. Am besten geht man ins Bett und überläßt sich seinen Träumen. Dann kommt der Schlaf und mit ihm die heilsame Auflösung der Vernunft im Ungeformten. Keine unfruchtbaren Ideen mehr hegen.

Er erinnert sich, was er gestern gelesen hat, eine kleine Frühschrift des alten Kant, die „Träume eines Geistersehers". Ein Geist, der Vernunft besitzt, muß folglich auch real sein. Was dieser Gedanke für Folgen haben könnte. In unseren Tagträumen begegnen uns nämlich unzählige Wesen unerklärlicher Herkunft, und sie sprechen auch noch zu uns. Da diese Gestalten tatsächlich unseren Gedanken entsprungen sind, kann ihnen auch ein gewisses Maß an Vernünftigkeit nicht aberkannt werden. Aber das heillose Durcheinander ihrer Worte und Handlungen verursacht eine Verwirrung, die sich im Nachdenken niemals auflösen ließe. Wenn all das Kopfgewimmel wirklich wäre, dann würde jene andere Wirklichkeit die begreifbare Welt zweifellos zum Einsturz bringen.

Er ruft die Aufwartefrau und läßt sich einen Cognac kommen. Vor dem Schlafengehen bewirkt dieses Getränk zuweilen eine vorübergehende Beruhigung seiner Gedanken, ein sanftes Hinübergleiten in einen anderen Zustand, der keinerlei Ähnlichkeit mit dem vorangehenden besitzt.

Die Wachstränen am Kerzenleuchter, und eine Handbreit darüber das flackernde Licht. Nicht in die Flamme hineinschauen: es könnte das Ende bedeuten. Etwas schwirrt durch das Zimmer. Die Aufwartefrau muß das Fenster offen gelassen haben. Fliegen sind eine Plag. Ihre nervtötende Unruhe, die abscheuliche Vorliebe für Exkremente, das tausendfach einfältige Auge, welches nichts zu erkennen weiß. Ein Tier, das niemals hätte erschaffen werden sollen. Aber die Logik der Schöpfung unterliegt ganz anderen Gesetzen. Diese bleiben ihm unerfindlich, und vielleicht ist es auch gut so.

Er läßt sich in dem kleinen Sessel nieder, der noch aus dem Besitz seiner Eltern stammt. An der Wand hängt ein Spiegel, in den er als Kind gern geschaut hat. Es ist ein gewölbter Rundspiegel in einer wurmstichigen Eichenholzfassung. All die Gestalten, welche er einfängt, erscheinen darin verkleinert und zugleich auch ein wenig verzerrt. Durch die künstliche Vergrößerung des Blickwinkels wird der Raum jedoch scheinbar weiter, und das schwerlich Einsehbare rückt plötzlich in das Gesichtsfeld.

Die Kinderaugen erkannten, was er jetzt sieht: Ein schwarzer fliegenähnlicher Punkt am oberen Spiegelrand vergrößert sich langsam, verwandelt sich in ein Gesicht. Es ist ganz schwarz, nur das Weiße in den Augen tritt überdeutlich hervor. Eine Hand greift nach dem Gesicht, versucht es wegzuwischen. Es ist eine schneeweiße Frauenhand, die zu einem anderen Körper gehören mag. Und eine erträumte Stimme säuselt hinzu:

Oh, Teufel! könnte
Die Erde sich von Weibertränen schwängern
Aus jedem Tropfen wüchs ein Krokodil –

Mir aus den Augen fällt ein Splitter, der auf dem Boden zu einem Felsbrocken wird. Das ist die Last der ungehegten Wünsche. Jetzt scheint ihre Form deutlich umrissen: Es könnte eine versteinerte Schlange sein, die wie eine Felsnadel in den Himmel ragt. Irgendwo in der Ferne, in einem Reich, wo die Löwen umgehen, gibt es sie wirklich. Jebel Barkal: Der reine Berg. Aus ihm wird alles hervorgegangen sein. Der Himmel und auch die Erde, und ebenso das, was noch dazwischen liegt.

Im Zwischenreich hat alles seine Stimme. Das Lamm spricht zum Löwen und übergibt ihm den Schlüssel der Nacht. Im Johannisstrauch lodert ein goldgelbes Meer, und seine Sonnen vergeben den dornigen Blicken. Die Hyäne schreit den kalkweißen Mond an,

17

und denkt dabei vielleicht an den Hasen und dessen erloschenes Feuer. Über dem Sand und den Steinen schweben die Adler mit blutigen Schwingen. Es gibt nichts, was es nicht geben kann: Das ist der Trost jeglicher Einbildung.

Das schwarze Gesicht hat noch keinen Namen, wohl aber eine Stimme. Und diese spricht in einer Sprache, die einem merkwürdig vorkommt: als hätte die Fremde ihren eigenen Atem verstoßen. Die Spiegelgestalt wird immer größer, je länger sie die Sätze zu einem Scheiterhaufen der Sprache aufschichtet. Flammende Sätze, die in dieser Glut aufwirbeln. Die Gestalt reicht schließlich über den Spiegel hinaus. Dann ist sie ganz nah und steht vor dem Träumenden. Keine Macht der Stille vermag sie jetzt aufzuhalten.

Und die Sprache spricht. Im Laufe der hingemurmelten Erzählung wird jenes fremde Wortreich deutlicher, sogar verständlich, und mündet schließlich in die folgende Geschichte:

Der alte Hase kochte sein Essen. Das sah die Hyäne, schlich heran und sagte: »Hase, einen guten Tag«. Der Hase sah sie von der Seite an, sprach: »Dir auch«, und kochte weiter, worauf die Hyäne einen Kratzfuß machte und grinste. »Was willst du«? fragte der Hase. »Dich um etwas bitten«, sagte die Hyäne. – »Was denn?« – »Bei mir zu Hause ist das Feuer ausgegangen. Um etwas Feuer möchte ich dich bitten«.

»Da hast du's«, sagte der Hase und gab ihr einen brennenden Kienspan. Die Hyäne nahm ihn, ging ihres Weges und – löschte ihn aus. Dann kam sie zurück.

»Bist du schon wieder da«? fragte der Hase.

»Ja, es ist mir etwas zugestoßen«.

»Was denn?«

»Das Feuer ist mir wieder erloschen«.

»Also, da hast du einen anderen Kienspan«.

Sie nahm ihn, ging und löschte ihn wieder aus.

Als sie wiederkam, sagte der Hase: »Mein Lieber, du siehst, daß ich Essen koche und darum hast du mit dem Feuer so viel Unglück«.

»Oh«, sagte die Hyäne grinsend, »das ist es nicht«.

»Doch, doch«, erwiderte der Hase. »Ich kenne dich, gefräßig bist du. Also, ich werde dir etwas vom Essen geben, aber dafür mußt du das Feuer anblasen. Es ist schon ganz herabgebrannt und wenn du hineinblasen wirst, wird das Essen rascher fertig werden«.

Da sagte die Hyäne, daß es gut sei, und setzte sich zum Feuer hin. Aber statt zu blasen, sah sie fortwährend nach dem Topf mit dem Essen hin, der dort an der Seite stand, und den der Hase erst, wenn das Feuer tüchtig brannte, auf den Herd setzen wollte. Und der Hase sagte: »Schau doch nicht so herum, sondern blase, sonst dauert's noch länger. Nichts werde ich dir geben, bevor das Essen nicht gekocht ist. Also, sieh ins Feuer«.

Da blies denn die Hyäne hinein. Unterdessen holte der Hase das Fell eines Leoparden und nähte es der Hyäne auf den Rücken. Das machte er so fein und heimlich, daß die Hyäne es gar nicht spürte. Dann wurde das Essen fertig, der Hase aß, die Hyäne bekam ihren Teil, und wie sie fertig waren und sie wieder gehen wollte, sagte der Hase:

»Wie, das Feuer vergißt du«?

»Ach wirklich«, sagte die Hyäne und nahm jetzt zwei brennende Holz-späne und kehrte damit zu ihrem Hause zurück.

Wie sie so dahin hopste, erblickte sie aber das Leopardenfell, das hinter ihr her schleifte und da sie nicht wußte, daß es ihr auf den Rücken genäht war,

erschrak sie und schrie: uj, uj. Dazu machte das Fell hinter ihr fortwährend:
wawalaga, wawalaga, so daß sie in ihrer Angst flüsterte: »Der Leopard verfolgt
mich« und immer schneller lief.

So kam sie zu ihrem Hause und wie sie hineinrannte, zerriß die Naht auf
ihrem Rücken und das Leopardenfell fiel herab. Da sagte sie nun, als sie ins
Zimmer hineinkam, voller Angst zu Weib und Kindern: »Meine Lieben, ein
Unglück ist geschehen, ein Leopard hat mich verfolgt – da liegt er an der Tür«.
Weib und Kinder fuhren entsetzt in die Höhe und blickten erschrocken hinaus
und flüsterten: »Wirklich, es ist ein Leopard, der da vor der Tür liegt. Was
sollen wir tun«?

Nun verging die Zeit und sie wurden hungrig. Es schmerzt gar sehr, wenn
man hungert; und immerfort sprachen sie: »Wo sollen wir ein Essen hernehmen, wenn der Leopard sich von unserer Tür nicht wegrührt? Wie kommen
wir nun an ihm vorbei«? Und wie der Hunger immer mehr schmerzte, sprach
die Hyäne:

»Meine Kinder, es bleibt uns nichts, als daß wir miteinander wettringen.
Wenn ich falle, bin ich euer Braten und wenn ihr fallet, dann seid ihr mein
Braten«. Darauf weinten die Kinder und sagten: »Vater, Ihr seid stärker«.
Die Hyäne erwiderte: »Das kann man nicht wissen, wir müssen es doch probieren«. So umfaßte sie ein Kind, warf es zu Boden und fraß es auf. Nach
einer Zeit faßte sie ein zweites Kind, warf es zu Boden und fraß es ebenfalls
auf; und so geschah es auch mit dem dritten und vierten Kinde, bis sie nur noch
beide übrigblieben, der Mann und das Weib.

Da sprach er, wie er wieder fressen wollte, zu ihr: »Faß an, wenn ich falle,
bin ich dein Braten, wenn du fällst, bist du mein Braten«, worauf das Weib
sagte: »Du bist doch jetzt viel stärker, weil du gefressen hast«. Er antwortete:
»Das kann man nicht wissen, man muß es probieren«.

Sie begannen zu ringen, und da erschrak er, das Weib warf ihn hin und
sie lachte und sagte:

»Nun wird sie ihn fressen...«

Er lachte ebenfalls und sagte: »Warte, spielen wir noch einmal«.

Sie faßten sich wiederum an. Er wurde wieder geworfen und sie lachte:
»So, nun frißt sie ihn...«

Er erwiderte: »Das war ein guter Spaß. Warte, spielen wir zum dritten
Mal«.

»Gut«, sagte sie und sie lachte, als sie jetzt geworfen wurde. Dann aber
fraß er sie auf.

So war er nun allein und sagte: »Ja, der Hunger schmerzt gar sehr.« Und
da er zu Hause nichts mehr zu fressen hatte, blickte er hinaus, ob sich nicht
der Leopard endlich doch wieder entfernt hätte und sah, daß die Haut ganz
zusammengefallen auf dem Boden lag. Nun traute er sich heran und erkannte,
daß sie inzwischen vertrocknet war und daß ihn der Hase zum Narren gehal-
ten hatte.

»Oh, der Hase, dieser Schwindler«, rief er darauf, »er ist schuld, daß ich
mein armes Weib und meine guten Kinderchen alle verloren habe«! Und als er
dann mit den anderen Hyänen zusammenkam, weinte er über die Hartherzig-
keit des Hasen und die Schlechtigkeit dieser Welt.

So endet diese Geschichte und es beginnt eine neue: Jetzt
nimmt die schwarze Gestalt den Träumenden an der Hand. Sie gehen durch die Mauer als wäre sie Luft. Es ist immer noch Nacht,
und auf der Straße ist niemand zu sehen. Dennoch dieses Gefühl,
verfolgt zu werden, und sei es bloß der eigene Schatten, der einen
jagt. Stiefelschritte im Hirn, ein innerer Marsch, der zum Tod füh-

ren wird. Und das jähe Bedürfnis, sich in den Abgrund zu stürzen, irgendeinen. Verschlungen ist nun die ganze Welt. Wer versteht schon die Lektionen der Finsternis?

Der Träumende sieht die schwarze Gestalt von der Seite an: erst schüchtern, verzagt. Der Makel zu großer Höflichkeit angesichts eines Fremden. Kann es wirklich Gestalten geben, die sich in Schönheit auflösen? Wunderbare nächtliche Geschöpfe, schön und schrecklich. Ist es denn möglich, mit jemand zu sprechen, der gar nicht da ist? Er wagt also nicht, das Wort an jemand zu richten, der vielleicht schon im Begriff ist, sich in Nichts aufzulösen. Dieses Nichts: Es wäre schon *etwas,* nämlich das hinreißende und unsichtbare Gewand einer Schönheit.

Besser den Blick aufheben, um dieses Wesen genauer zu sehen: ein fremdartiges Gesicht. Eine schwarz glänzende Haut und das prächtige Gewand darüber. Er denkt zunächst, es sei ein Tigerfell, aber es ist etwas anderes, ein überquellendes Rot, das einen ganzen Körper füllen könnte mit seinem verborgenen Blut. Er hat etwas Ähnliches einmal auf einem verblassenden Gemälde in der königlichen Residenz gesehen: da war es ein Fürst einer untergegangenen Zeit, welcher einen prachtvollen Herrenrock aus purpurfarbenem Samt mit goldroten Tressen und Borten trug, *justaucorps,* wie es sich gehört. Und dieser hier trägt genau dasselbe Gewand, aber farbkräftiger, so daß sich sein Muskelspiel umso verlockender hervorhebt. Und den Kopf krönt ein kanariengelber Dreispitz, der das krauslockige Haar mühsam verdeckt.

Ein echter Edelmann, kein dahergelaufener Bursche. Sicherlich hat er einen fremdländischen Namen, und ist vielleicht sogar aus königlichem Geblüt. Jetzt macht er tatsächlich eine Art Kratzfuß, und sagt dann mit tiefer, durchaus wohlklingender Stimme „*Untertänigst, Scardanelli.*"

Irgendwann hat der Träumende diesen seltenen Namen bereits gehört. Es muß vor langer Zeit gewesen sein, denn die Erinnerung daran ruft nur ein schwaches Echo in seinen Gedanken hervor. Erinnert sich das Gehör, ist im Klang eines Namens die ganze Person schon enthalten? Scardanelli, Sgardanelle, Scaramelli. Aus dem Irgendwo steigt eine vage Erinnerung.

Blasser Nebel schwebt über dem schwarzen Pflaster. Durch dieses hingehauchte Weiß müssen wir, um dahin zu gelangen, wo das Weiß nicht mehr gilt. Die Stille hat keinen Schatten. Sie ist die leere Haut, aus der ein Körper entflohen ist, um sich in einem anderen wiederzufinden.

Der Träumende bleibt stehen, schaut wieder auf seine Hände, und bemerkt mit Erstaunen, wie weich, weiß und marmorkalt sie sind. Frauenhände. Er würde gerne von solchen Händen liebkost werden. Mit den Händen fängt die Verwandlung an. Daphnes Hände werden zu Zweigen, Apollons Finger zu Krallen des Adlers. Mit Krallenfingern schreibt es sich anders.

Im Haus auf der gegenüberliegenden Straßenseite ist ein Fenster erleuchtet. Der Träumende sieht eine Szene, wie zwei Figuren eines Schattenspiels. Vater und Sohn, Herr und Knecht. Der größere hebt die Hand, während der Kleinere sich duckt. Schon fällt ein Schlag. Stumm ist der Schrei, der zu Herzen geht. „Die Menschen sind hartherzig und die Welt ist schlecht", sagt die schwarze Gestalt mit einer Kinderstimme.

Jetzt ist es Zeit. Die Nacht kann nicht ewig dauern. Sobald die Straße überquert ist, mag ein anderer Traum entstehen, der vielleicht schon der Wirklichkeit gefährlich nahekommt. Der Träumende sieht, wie das Lächeln des Schwarzen erstirbt. Mit seinem verschwindenden Lächeln, schrumpft auch er selbst, bis er schließlich nur noch ein dunkler Fleck ist, daumennagelgroß.

Die zweite Nacht

Was unwirklich ist, das ist unvernünftig, denkt Hegel gleich nach dem Erwachen, während er ausgiebig erst seinen rechten und danach auch seinen linken Daumennagel in Augenschein nimmt. Keine Spur von einem schwarzen Fleck. Er bemerkt zum ersten Mal, das beide Nägel leicht spiegeln, und das milchig weiße Nagelmöndlein ein halbes Gesicht zeigt.

Der Traum tritt ihm wieder vor Augen, und es wird ihm unheimlich dabei. Jener unglückselige Spiegel, dieser Fleck am oberen Rand, die Verwandlung, danach der Mohr im Festgewand, dessen verworrene Fabel, der Name Scardanelli, der Gang über die nächtliche Straße und schließlich die unerklärliche Verzwergung.

Das Unvernünftige ist das Unwirkliche, sagt Hegel zur Aufwartefrau, als diese ins Zimmer tritt und wieder ihre grimmige Miene zur Schau stellt. Dieser vollkommen verständnislose Ausdruck. Sie trägt ein Tablett, darauf eine Kanne mit seinem Morgenkaffee und zwei Milchbrötchen, die er in den dampfenden Kaffee einzutunken pflegt. „Sie haben wieder im Sessel geschlafen", krittelt die Aufwartefrau, „das ist gar nicht gut für ihre Gesundheit! Ein anständiger Mensch schläft im Bett, und zwar in seinem eigenen!"

25

Ich habe ihren Namen vergessen, denkt Hegel, er ist mir tatsächlich entfallen. Aufwartefrauen kommen und gehen. Kaum hat man sich ihr Gesicht gemerkt, sind sie schon wieder über alle Berge. Diese hier ist seit einem halben Jahr im Hause. Eine ausgesprochen griesgrämige Person. Sie ist zwar noch recht jung, vielleicht Mitte dreißig, hat aber trotzdem etwas von einer unfreiwilligen Greisin. Ihr Mann hat sie verlassen, zwei Kinder sind ihr gestorben, das dritte soll ein Kretin sein. Ein Junge mit Wasserkopf und schiefem Lächeln, der außerdem kaum zu sprechen vermag. Einmal hat Hegel ihn auf der Straße gesehen: Seine Mutter zog ihn in einem wackligen Kastenwagen, darin saß der Junge und strahlte, als sei er in Wahrheit ein König.

Der Geist, sofern er reiner Geist ist, kann nicht krank sein, denkt Hegel, und deutet das offenkundige Glück des Jungen als ein Zeichen von dessen vollkommener Verwirrtheit. Er spricht ja gar nicht, gibt nur Laute von sich, ganz wie ein Säugling oder ein unmündiger Greis.

Marie kommt unversehens ins Zimmer. Sie trägt das rote Kleid mit dem geblümten Muster, das er sehr liebt. Aber diese Hammelkeulenärmel mag er eigentlich gar nicht, weil sie auf den ersten Blick plump wirken und nur durch Fischbein in Form gebracht werden können. Jedoch muß er insgeheim an ihre nackten Schultern denken, und dieser Gedanke versöhnt ihn. Es gibt sie also: die sinnliche Gewißheit.

Ein leichter Duft von Veilchen verbreitet sich. Das Parfüm, das er seiner Frau zu ihrem letzten Geburtstag geschenkt hat. Erinnerung an einen empfindsamen Nachmittag im Mai, das Panorama der Stadt Nürnberg wie durch ein umgekehrtes Opernglas betrachtet: Eine Spielzeuglandschaft des Geistes.

Jetzt ist es anders. Die Pflichten rufen. Schnell wird das Frühstück beendet. Man hat Termine, die es einzuhalten gilt. Der Rektor der Berliner Universität kommt niemals zu spät, das ist er sich schuldig. Um neun Uhr wartet bereits der Kustos der Universitätsbibliothek, um über die notwendigen Neuanschaffungen zu sprechen. Dabei mag dieser alte, stets nach ranziger Butter riechende Bücherhirt viel lieber die alten und uralten Folianten, die er hütet als sei es der Schatz der Nibelungen.

Irgendwann hat er Hegel einmal eine seiner Wiederentdeckungen gezeigt, ein Buch des Jenaer Professors Georg Grau aus dem Jahre 1688. Die „Hypnologia", das Werk des besagten Professors, beschäftigte sich mit dem Schlaf und den *verdrießlichen Nächten,* die einem üble Träume und das möglicherweise durch sie hervorgerufene Aussetzen des Atems während des Schlafens bescheren können. Der Tod, er kommt auf leisen Sohlen und meist über Nacht.

Ich werde ihn nach diesem Buch fragen, sagt sich Hegel, während er in der Kutsche sitzt und die Menschen draußen wie Figuren eines fahrenden Theaters an sich vorüberfliegen sieht. Das Leben ein Traum. Der Traum ein Leben. Auch die „Träume eines Geistersehers" könnten vielleicht ein wenig Aufklärung bringen. Aber Kant ist längst dort, wo er keiner Träume mehr bedarf.

An der Einfahrt zur Universität ist ein kleiner Menschenauflauf entstanden: Mützenschwenkende Studenten, schwarze und weiße Kokarden, Wortfetzen aus halbvergessenen Liedern. *Meum est propositum in taberna mori, wir jubeln, singen, trinken wohl durch die ganze*

Nacht. Ein junger Mann steht abseits und würgt, bevor er die Reste der durchzechten Nacht in einem Schwall erbricht. Es lohnt nicht, die jungen Leute zur Ordnung zu rufen, denkt Hegel.

Es folgen fünf Termine, rasch nacheinander. Zuerst dieser Kustos, der in übler Verfassung zu sein scheint. Er muß getrunken haben, sagt sich Hegel, während er den Kustos schwadronieren hört. Soviel Unsinn in einem einzigen bandwurmartigen Satz. Er läßt ihn also reden, und schaut unterdessen zum Fenster hinaus: Fassaden und Fenster, Spiegelgebilde von Wolken.

Danach kommt erst der Dekan der Naturwissenschaftlichen Fakultät, ein fettleibiger Schwätzer mit Nickelbrille, dann ein Ministerialrat, der absolut nichts zu sagen weiß, das Ehepaar Weisbrod, Gönner und Mäzene höherer Lehranstalten, und schließlich ein Herr de Varga, wohl portugiesischer Abstammung, welcher leicht schielt, aber durchaus Anregendes zu erzählen weiß, wie zum Beispiel über eine Stadt namens San Andréa oder *Sassandra* am westafrikanischen Golf von Guinea. Der letzte Termin entfällt, weil den angekündigten Gast am Tag zuvor der Schlag getroffen hat.

Es gibt eine kleine Ruhepause gegen dreizehn Uhr. Ein schweigsamer Diener bringt einen Teller Kalbfleisch mit Kraut, dazu einen Krug Mineralwasser, eisgekühlt. Seine Joppe aus rötlichem Loden hat am linken Ärmel einen daumenbreiten Riß, der an eine Wunde denken läßt. Den Nachmittag über ist Hegel mit Korrespondenzen beschäftigt und verläßt die Universität bereits gegen siebzehn Uhr, weil ein heftiges Kopfweh plötzlich den freien Lauf seines Geistes behindert.

Zuhause findet er sich allein. Auf dem Tisch im Flur liegt ein versiegelter Brief. Er erkennt die Handschrift seines Schwagers Gottlieb: verhuschte schwarze Buchstaben, kaum mehr als ameisengroß. Sicherlich neue Nachrichten über jene unglückliche Person, die vor einem Jahr in Ansbach wie aus dem Nichts aufgetaucht ist. Ein verwildertes Wesen namens Kaspar Hauser. Dieser soll fünfzehn Jahre im Dunkeln gelebt haben; vollkommen abgesondert von der Welt.

Er trinkt einen halben Liter Bier, um zur Ruhe zu kommen. Der Kopf ist eine Mördergrube verwesender Gedanken. Jetzt einzuschlafen wäre ein Glück. Aber es geht nicht. Für den Abend hat sich noch ein Gast angesagt, der wahrscheinlich zum Essen bleiben wird. Echtermeyer. Der einarmige Ästhetiker. In gewisser Weise eine traurige Gestalt. Er soll einen Verein gegründet haben, der sich die *Gesellschaft zum ungelegten Ei* nennt.

Nun geht er doch ins Schlafzimmer, um wenigstens eine halbe Stunde zu ruhen. Er zieht also die Schuhe aus und legt sich angezogen aufs Bett. An der grauweißen Zimmerdecke huscht eine Spinne, eine Art Weberknecht. Acht Beine, die nichts zu weben vermögen. Es ist still, so still, daß ihm der Gedanke kommen könnte, er selbst sei der letzte Überlebende einer verschwindenden Welt.

Die Augen schließen, um nichts mehr sehen zu müssen. Auf einmal kommen die inneren Bilder ins Spiel. Hinterrücks, als lauerten sie unter den Lidern, all die tollgewordenen Schnipsel einer zerschnittenen Wirklichkeit. Dann setzt der Atem für einen Moment lang aus: Und der Träumende sieht seine gestrige Traumgestalt. Es ist derselbe Mohr, der sich geziert vor ihm verbeugt, als wolle er sich eigentlich über ihn belustigen.

Scardanelli, wenn ich nicht irre, sagt der Träumende, aber der Mohr lächelt verschmitzt und erwidert: *Escobar.* Er hält etwas in seiner rechten Hand, das an eine Landkarte erinnert: Darauf eine schädelförmige Insel, die wie an zwei Girlanden aufgehängt ist, umgeben von Wasser. Am unteren Rand stehen zwei Männer, in ein Gespräch vertieft. Über ihnen wölbt sich ein mächtiger Schiffsbauch. Und ein anderer Mann, vielleicht der Entdecker jener Insel, steht vereinzelt an der anderen Seite, abgewandt, mit verdecktem Gesicht. Und jener, der sich Escobar nennt, öffnet den fleischigen Mund. So viel Unsinniges, das sich in Sprache verhüllt. Das leere Geschwätz eines Gottes. Er spricht, während seine Augen wie Murmeln hin und her rollen:

„Ich bin Pèrito, Sohn des Pèro Escobar, Entdecker von Sassandra am Palmenstrand von Guinea, und auch der Insel Sao Tomé. Das hölzerne Schiff meines Vaters erreichte am 21. Dezember 1471, dem Festtag des heiligen Thomas, jene Insel. Die Sonne hatte die Männer wahnsinnig gemacht. Fünf Seeleute waren bereits über Bord gegangen, um im Meer ihre überhitzten Hirne zu kühlen. Alle ertranken. Als die Seemänner dann endlich Land sahen, brachen die meisten in Tränen aus. Hartgesottene Männer heulten wie alte Weiber. Seit Monaten hatten sie nichts weiter vor Augen gehabt als das von Stürmen durchpflügte Meer. Der Proviant war verbraucht. Es gab nur noch verrottete Zwiebeln, verschimmeltes Wasser und ein paar Fässer Branntwein, der den Durst nicht zu stillen vermochte. Sie gingen also an Land, und entdeckten ein Pa-

30

radies, aus dem die Engel entflohen waren. Männer, Frauen und Kinder; so schwarz wie die Hälfte der Nacht. Das Fremde ist immer das, was Angst hervorruft und mit ihr am Ende das Grauen.

Aber zuerst war es die reine Freude. Wohlschmeckendes Wasser, Früchte im Überfluß und eine weiche, von Träumen geschwängerte Luft. So ließ es sich leben. Drei Tage lang schliefen die Männer, traumlos und fest. Dann machten sie sich auf, um die Insel zu erkunden. Sie sahen den weißen Sand der Strände, Palmen, Bäume voll seltsamer Früchte, Bäche kristallklaren Wassers, bewaldete Hügel und die aus Bananenstauden gefertigten Hütten der Eingeborenen. Am Anfang hielten diese sich verborgen, wagten sich kaum hervor aus ihren Behausungen, um jene weißen Wesen zu sehen.

Am vierten oder fünften Tag erreichten einige der Entdecker den in der Mitte der Insel gelegenen Markt der Zauberer. Es war ein lautstarkes Gewimmel aus lauter zusammengewürfelten Einzelheiten. In der flirrenden Mittagshitze sahen sie halbverweste Bisamratten, auf lange Hölzer gespießt, getrocknete Igel, tote Schlangen, die man um Speere gewunden hatte, schwarzgrüne Krötenköpfe mit überquellenden Augen, außerdem auch giftige Kräuter, zu welken Sträußen zusammengebunden. Es gab Zaubertränke, die auf offenem Feuer zusammengerührt und gekocht wurden. Eine brodelnde Hexenküche. Die Zauberer trugen Masken mit den geschnitzten Gesichtern ihrer Götter und Ahnen.

Die Menschen sangen dabei in einer Sprache, die fern und fremdartig klang. Den Seeleuten erschien es wie ein Gesang, der aus den Wolken gekommen war, um das Gehör zu erfrischen. Sie tranken das aus Bananen gebraute Bier, welches ihnen angeboten wurde. Es war süß und berauschend. Während die Zauberer vor ihren Augen mit langen Nadeln in das Herz einer tollwütigen Ziege stachen und unterdessen ihre Zaubersprüche und Verwünschungen ausstießen, fiel die Nacht wie ein Vorhang herab, bedeckte den Markt, und diesen verwunschenen Winkel der Welt.

In jener Nacht träumten sie alle denselben Traum. Die Welt war untergegangen und nur sie allein übriggeblieben. Neun Männer, verlassen, im Nichts ausgesetzt. Es gab nur noch den schwarzen unendlichen Raum, und daraus auftauchend zuweilen die Fratzen, welche die Einbildungskraft hervorzaubert. Schwarze Masken im Weiß der Erinnerung. Und eine Stimme sprach zu ihnen:

Ihr seid allein. Es gibt weder andere Menschen noch Pflanzen, Tiere, Berge und Wasser. Ich aber werde einen Faden zu euch herabwerfen und an diesem Faden kommt ihr nacheinander hinauf und zurück in das Reich des Himmels. Aber bevor ihr hinaufkommt, müßt ihr von all den Dingen träumen, die einmal sein werden. Erst dann können sie wirklich sein. Träumt also von den anderen Menschen, euren Frauen und Kindern, träumt von den Pflanzen und Tieren. Schaut auch die Berge und Flüsse im Traum, bevor alles zu Wirklichkeit wird.

Und die Menschen fielen im Traum in einen weiteren Traum, der ihnen all das vorstellte, wovon die Stimme zu ihnen gesprochen hatte. Als alles so geschehen wie ihnen befohlen war, kam wirklich ein Spinnenfaden vom Himmel herab. Und sie gerieten in einen heftigen Streit darüber, wer ihn als erster ergreifen konnte. Weil sie sich aber deswegen so zerstritten und sich gegenseitig den Faden aus der Hand rissen, kam letztlich niemand zum Zuge und sie blieben allein, ohne jegliche Aussicht, einmal zurück zum Himmel zu gelangen.

Als sie endlich erwachten, war es noch immer Nacht. Sie tasteten sich voller Furcht durch die Dunkelheit. Pèro, dem Anführer der Gruppe, gelang es schließlich, in der Finsternis einen schlaftrunkenen Körper ausfindig zu machen, ein unaussprechliches Glück. Also traf sich seine Angst mit der Freude eines namenlosen Mädchens, und er genoß dieses Glück, das kaum eine halbe Stunde lang währte.

Dann kam der Morgen. Er kroch langsam herauf über die Hügel, und es zeigte sich alles in neuem Licht. Noch am selben Tag verließen Escobar und seine Männer die Insel, um in See zu stechen und andere Länder zu suchen. Sie kehrten niemals zurück. So erfuhr Escobar auch nie, daß jenes Mädchen, mit der er in jener Nacht seine Angst und seine Freude geteilt hatte, neun Monate später einen Jungen zur Welt gebracht hatte.

Ich bin es, Nemura, später dann auch Pèrito genannt, der kleine Entdecker, von dem anfangs niemand wußte, wer ihn gezeugt hatte. Ich selbst habe es erst spät erfahren, in Venedig nämlich, an einem Aprilmorgen im Jahre 1505. Es war noch kalt an jenem Morgen, und ich begegnete auf dem zugigen Platz vor der Markuskirche einem seltsamen Mann, dessen langes gelocktes Haar mir sogleich in die Augen stach. Und auch er verfolgte mich mit seinen Blicken. Er trug einen länglichen Holzkasten unter seinen linken Arm geklemmt, und er schaute mich so an, als wolle er jede meiner Bewegungen nachzeichnen.

Zu dieser Zeit hatte ich bereits die halbe Welt gesehen, und auch das Elend erlebt, das sie uns zumutet: Am Anfang, in meinen ersten Lebensjahren, glich ich nämlich rein äußerlich meinem weltreisenden Vater und war deutlich heller als die anderen Kinder, beinahe weiß. Doch als meine Haut sich mit der Zeit immer dunkler tönte, gab meine stets traurige Mutter mich im Alter von drei Jahren in die Hände meiner Großmutter, die mich zehn Jahre lang wechselweise küßte und schlug. Vor allem die Schläge blieben mir in Erinnerung.

Weil ich die Menschen liebte, die aus der Ferne kamen, folgte ich den weißen Männern, die über das Meer zu uns gefunden hatten. Sie lehrten mich ihre Sprache, und ebenso Lesen und Schreiben. Zehn Jahre lang fuhr ich mit ihnen auf See, entlang der afrikanischen Küste, dann nordwärts bis nach Portugal, wo ich sieben Jahre lang blieb, um in Lissabon die Manuskripte zu studieren, die von den Reisen des Alvise Cadamosto, Alvaro Fernandes´ und Pèro Escobars nach Afrika und in andere Weltgegenden handelten.

So lernte ich vieles über das Leben jener Fremden, das doch insgeheim ein Teil meiner selbst war. Damals wußte ich nicht, wer mein Vater war. Aber der Drang, es in Erfahrung zu bringen, war so unbändig in mir, daß ich alles dafür auf mich nahm. Ich lebte dahin, ohne zu wissen, wofür ich lebte. Da träumte ich eines Tages, ich fände die Antwort auf all meine Fragen in einer mitten im Wasser erbauten Stadt voller schmerbäuchiger Kuppeln, durchzogen von Kanälen, die nach wunderbarer Fäulnis rochen.

Also schloß ich mich also einer Reise von Gelehrten an, die im Frühjahr 1505 von Lissabon in See stachen, um über das Mittelmeer bis nach Venedig zu gelangen. Dort sollten wir eine Gruppe von alt und zahnlos gewordenen Übersetzern aus Konstantinopel treffen, die vor über fünfzig Jahren zahlreiche Manuskripte der Byzantiner während der Eroberung ihrer Stadt vor den Flammen und dem eifernden Zorn der Osmanen gerettet hatten.

Das Meer war nicht schweigsam, während wir segelten. Es geriet außer sich und stürmte gewaltig, und ich fühlte mich manchmal wie jener Prophet, den der Zorn Gottes über Bord warf, so daß er beinahe untergegangen wäre, wenn er nicht Unterschlupf gefunden hätte im Bauch eines Wals.

Als wir Venedig erreichten, erfuhren wir, daß das Schiff der Byzantiner vor der Küste von Split in die Hände von Seeräubern geraten, vollständig ausgeplündert und im Meer versenkt worden war. Das einzige, was von den räuberischen Piratenhorden einigermaßen unversehrt zurückgelassen wurde, war ein hinkender Schiffsjunge, der zwei Manuskripte gerettet hatte, indem er sich diese wie ein Korsett um die Taille gewickelt hatte.

Es waren zwei Handschriften auf Pergament, die erste eine arabische Abschrift eines verlorenen aristotelischen Traktates über die Melancholie. Die zweite war eine aus dem vierzehnten Jahrhundert stammende Beschreibung des Reichs der Akan, das an der Goldküste von Westafrika liegt. Als ich dieses Manuskript las, gingen mir die Augen auf. Da hieß es, daß die Akan Wilde seien, die weder Schrift noch Religion besäßen. Sie liebten die Gewalt und versklavten alle, die nicht aus ihrem Stamme seien. Ihre Herrscher wären wahre Meister der Grausamkeit und sie vergötzten die Farbenspiele der Hölle. Um eines billigen Vorteils willen opferten sie

35

selbst ihre eigenen Kinder und bestrichen mit deren Blut die Gesichter ihrer wagemutigsten Krieger.

Es gab auch farbig gefaßte Bilder zu diesen Beschreibungen: Seltsamkeiten und Schreckensszenen. Eine nackte Schwarze auf einem Dromedar, vor ihr ein Kniender, der in seiner Linken ein Weihrauchfaß und in seiner Rechten einen aufgespannten Sonnenschirm hält. Auf einem anderen Bild war eine verschleierte weiße Frau zu sehen, die von einem jungen schwarzen Krieger umarmt wird. Ihr Blick verschwamm in Tränen, als hätte sie in einen Abgrund geschaut. Ein weiteres zeigte ein gewaltiges Krokodil, aus dessen klaffendem Maul ein halber Mensch mit vor Schreck geweiteten Augen hervorschaut. Über dem Krokodil die unbewegte Gestalt eines Mannes, in dem ich mich selbst wieder wahrnahm, jedoch als ein Weißer.

Da wußte ich auf einmal, daß dieser und niemand anderer mein Vater sein müsse. Ein Wolkenfarbiger aus einem fernen Land. Doch er blieb gefangen in einem Bild. In den Augen jenes Weißen wie des Halbverschlungenen geriet ich in einen Zeitspalt. Meine Furcht und mein Zittern wurden zu Nichts. Ich fühlte mich auf einmal in einen Himmel der Gewißheit geschleudert.

Und so erkannte ich mit einem Mal, daß mein einziger Ausweg es sei, in ein Bild zu gelangen und dieses niemals wieder zu verlassen. Ein echtes Bild, kein täuschendes. Ich suchte die Wahrheit, nicht den Traum. Keine halbherzigen Versuche im Blau. Meine Farbe war das Weiß, von dem alles ausgeht.

Und jemand sprach zu mir, der mir erklärte, daß das Weiß in Wirklichkeit gar keine Farbe sei, sondern die Summe aller erdenklichen Farben, also ein herrliches Nichts. Was wäre dann das Schwarze, fragte ich diesen Jemand. Und jener erwiderte, daß Schwarz wiederum die Verleugnung aller Farben sei, deren reines Gegenteil.

Es ist schwierig, in ein Bild zu gelangen, welches das Bild eines Meisters ist. Zuerst ist es notwendig, sich in die Gedanken des Meisters einzuschleichen, um darin zu dessen verborgenem Eigentum zu werden. Mit den Gedanken hat es seine eigene Bewandtnis. Sie sind irgendwo und nirgendwo in den Köpfen zuhause, im Gedächtnispalast, der jeden Winkel eines Kopfes mit seinen Zimmern und Fluren bewohnbar macht. In jenen Räumen ist alles sorgsam verborgen und zugleich auch offenbar.

Der Mann mit dem Holzkasten und dem welligen Haar durchkreuzte meinen Sinn wie ein Tier, das es nicht gibt. Vielleicht ist er ja meine Erfindung, dachte ich mir, aber wenn er meine Erfindung ist, dann wird er zu mir sprechen, wenn ich ihn darum bitte.

Und so kehrte ich meinen Gedanken den Rücken und gelangte wieder zurück zum Markusplatz, zog jenen Mann aus meinem Gedächtnis hervor und befestigte ihn an der Leine meiner Einbildung. Da zappelte er für eine Weile, schlug mit Federn und Fäusten um sich, flehte um die Gnade, fliehen zu dürfen. Doch ich ließ nicht mehr von ihm ab. Ich verkroch mich also in seine Gedanken, stieg bis unter seine Lider, wo sich zarte und wilde Gestalten tummelten: Ein Blaurackenflügel, drei wildgewordene Reiter auf ihrem Galopp ins Nirgendwo, das Rasenstück eines verwunschenen Gartens, eine Meerkatze mit fragenden Augen, betende Hände, ein Knabe mit zierlichen Fingern, das Bildnis der Mutter mit knotigem Hals, ein

Schreiberling im Gehäuse, das Antlitz des Schmerzensmanns, und letztlich auch ein Gesicht, welches das meine sein könnte.

Ich sah es an, und fand meinen Blick, den ich niemals sehen würde: in einer Ferne verloren, die es nimmermehr geben wird. So werde ich sein, wenn ich mit schwarzer Kreide gezeichnet bin. Gekräuseltes Haar, eine fliehende Stirn, der verlorene Blick über der gedrungenen Nase, unterhalb derer sich der Bart und ein Paar fleischige Lippen zuhause fühlen.

Das sei mein Gesicht, befand jener Meister. Und ich betrachtete es lange, suchte in seinen Einzelheiten nach den Spuren meiner Herkunft. Sie ist jedoch niemals zu finden. Wer sie aufzuspüren oder nachzuzeichnen versucht, muß sich verlieren. In jedem Gesicht ist etwas anderes eingeschrieben, ein zweites Gesicht, das wie ein Phantom aus unsichtbarem Stoff darüber gewoben ist. Ein Netz von Linien, deren Sinn sich erst dann ergibt, wenn der Ursprung enträtselt wird."

Also sprach Pèrito Escobar, Sohn einer Namenlosen und des Pèro Escobar, des Sendboten von Heinrich dem Seefahrer, des Entdeckers der westafrikanischen Küste. Und er klopft mit Bedacht an die Schädeldecke, um sich aus dem Verlies der Gedanken herauszuheben. Sein Klopfen wird lauter, es ist kaum noch zu überhören. Will er doch endlich fortkommen von der Insel seiner Einbildung. Aber der Schädel lüftet sich nicht. Die Insel bleibt eine Insel im Nirgends. Eine Schädelstätte des Geistes.

Es bleibt ein Gefängnis für alles, was sich in ihm verbirgt. Also muß dieser Schädel geöffnet werden wie eine Nuß, die man aufschlägt, um die verborgene Milch zu genießen.

Die dritte Nacht

Am anderen Morgen brummt Hegel der Schädel, als hätte er die Nacht hindurch gezecht. Dabei ist ihm das Saufen eigentlich zuwider. Alles flimmert und flammt plötzlich vor seinen Augen, als loderten alle Dinge.

Es scheint ihm geradezu, er trüge jetzt eine Brille, durch die eine andere Wirklichkeit sichtbar werden könnte. Eine Traumwelt. Man kann sich darin verlieren oder untergehen. Es ist verwirrend und beängstigend. Lauter entfesselte Gestalten. Und er liegt verloren inmitten, auf einem Bett ausgestreckt, das nach niemandem riecht. Es ist an der Zeit, die lächerliche Traumgestalt zu verlassen, und damit auch jene entäußerte ratlose Knechtschaft, die jene nächtliche Unvernunft dem Denken auferlegt.

Das sagt er sich, in Erinnerung dessen, was er einmal über den indischen Geist geschrieben hat, über die Fesseln der ausschweifenden Irre. Raserei, Hexen und Zauberer, die Stimmen der Bäume und Tiere; all das sei nichts als Betrug, keine Weise der Wahrheit.

Die Bilder, meint Hegel, man müßte sie allesamt austreiben. Du sollst dir kein Bild machen. All das Vermischte, aus Traum und Wirklichkeit Zusammengesponnene, welches zu einem Knoten wird, der einem schließlich die Kehle zuschnürt. Ein Krebsgeschwür der Unbesonnenheit.

Jemand klopft an die Tür. Er will etwas sagen, doch die Stimme gehorcht ihm nicht. Ihm ist, als steckten die Worte in seinem Hals fest. Nicht einmal husten kann er, um sich bemerkbar zu machen. Und er sieht durch die geschlossene Tür, erblickt das freudlose Gesicht der Aufwartefrau, wie sie das Gesicht gegen die Tür preßt, um nach einem Lebenszeichen zu forschen.

Was sie wohl denken mag, sagt sich Hegel, sie denkt sicherlich, daß ich getrunken habe und nun meinen Rausch ausschlafen will. Er wundert sich gar nicht über diese neue, ihm zugeflogene Fähigkeit, durch Türen hindurchsehen, und die Gedanken von anderen erraten zu können.

Jetzt fällt ihm auch der Name der Aufwartefrau wieder ein: Sie heißt Christina. Er muß an jene andere Frau denken, mit der er ein Kind hat. Ludwig. Kind, König oder Kaiser? Wer kann es schon wissen? Der Junge mag jetzt erwachsen sein. Es war in Jena, im kriegerischen Winter des Jahres 1807. Das Kind einer Witwe und eines älterwerdenden Zimmerherrn. Im Jahr seiner Empfängnis hat er den, welchen er die *Weltseele zu Pferde* nannte, bei seinem Einzug in die Stadt gesehen.

Die Grande Armée jenes Kaisers Napoleon schlug sich zur Zeit der Geburt seines Erstgeborenen bei Preußisch-Eylau gegen die russischen Truppen unter dem Kommando eines gewissen Levin von Bennigsen. Dieser war ein hagerer niedersächsischer General aus heruntergekommenem Adel, der dem Zarenreich diente. Die Schlacht endete Remis.

40

Alles endet wohl unentschieden, denkt er sich, das Leben schließt am Ende einen faulen Kompromiß mit dem Tod, und läßt diesem den Vortritt.

Es klopft wieder. Diesmal hört er auch eine Stimme: Es ist seine Frau. Er versteht keines ihrer Worte, sieht aber nun auch ihr Gesicht durch die geschlossene Tür, dessen verzweifelten Ausdruck. Und dann kommt noch ein weiteres Geräusch hinzu, das sich anhört, als schlüge jemand seinen Kopf gegen die Tür, um sie durch Schädelkraft aufzusprengen. Es ist der Kretin, der wasserköpfige Sohn der Aufwartefrau, den Hegel jetzt sieht. Der Junge hat tatsächlich einen enormen Kopf, der einem Angst einjagen könnte, wenn man nicht wüßte, daß er hohl ist, voll Wasser und Leere.

Es ist ein Traum, sagt sich Hegel, ein Traum ganz ohne tiefere Bedeutung. Und doch fürchtet er sich, daß die Tür jetzt aufbrechen könnte wie eine magische Wand. Irgendwo hat er gelesen, daß hinter Türen und Wänden Geister verborgen seien, Tote, welche die Fähigkeit besitzen, in den Körper von Lebenden einzutreten. Sind sie einmal in eine fremde Haut hineingeschlüpft, dann lassen sie nicht von ihr ab, und bewirken, daß sich die Wesensart der Besessenen vollkommen ändert: Es geschehen Dinge, die niemals für möglich gehalten worden wären.

Der Dibbuk. Auf einmal entsinnt er sich wieder. Es ist eine Legende, auf die er zufällig in der Lektüre eines seltenen Buches in der Universitätsbibliothek von Jena gestoßen ist. Ein seltsamer Bibliothekar hatte ihm jenes Buch ohne ein Wort auf den Tisch gelegt. Als er es las, hatte er für ein paar Momente das Gefühl, jene

Erzählung hielte ihn umklammert, daß sie ihm anhaftete wie eine ansteckende Krankheit.

Jetzt richtet er sich kerzengrade im Bett auf, um die Gedanken und Bilder endgültig zu vertreiben. Es wird ihm schwarz vor Augen. Schwindel, Gefühle. Kein Gedanke fügt sich mehr dem anderen. Ein heilloses Gewirr, als würden unzählige Zungen sich in einer Sprache versuchen, für die es noch kein Alphabet gibt.

Dann steht plötzlich die Tür offen: Gestalten und Stimmen, die sich ihm nähern. Er legt seine Hand über die Augen, um sich vor der Zumutung dieser Wirklichkeit zu schützen. Er hört auch die Stimme seines Arztes, dessen Name ihm in diesem Augenblick nicht einfallen will. Golder, Gölde oder Göldler. Es ist eine kalte Hand, die sich ihm auf die Stirn legt. Die Hand eines Toten vielleicht.

Dieser Arzt spricht nun zu ihm. Der betuliche Stimmklang eines professionell Besorgten. Eigentlich ist diesem Quacksalber doch alles egal. Wenn der Patient sich fügt, dann hat er sein Ziel erreicht. Heilung gibt es nur für jenen, der sich bedenkenlos unterwirft. Die Widerspenstigen bleiben heillos verdorben. Krankheits- und Widerspruchsherde, die man ausmerzen sollte.

Der Arzt, dieser alte Ohrenbläser, er nötigt ihn mit sanfter Gewalt in den Lehnstuhl am Fenster. Da sitzt Hegel nun und bietet dem Betrachter das folgende Bild: Auf dem Schreibtisch ein Wust von durcheinander geworfenen und übereinander geschichteten Papieren und Büchern, davor seine gebeugte Gestalt, vorzeitig gealtert, fahle und schlaffe Züge, bleich wie ein Totenhemd, die Vergangenheit einer Tag und Nacht verschwiegen arbeitenden Vernunft widerspiegelnd. Die Zweifel münden in stetiges Räuspern und Husten, das den welken Körper durchschüttelt. Ein Bild des Jammers. Hiob auf dem Misthaufen.

„Ich muß aufbrechen", sagt Hegel mit krächzender Stimme, „um elf gibt es eine wichtige Sitzung in der Fakultät." Vorher soll noch ein Kollege kommen, dessen Name ihm nicht in den Sinn kommen will. Es gibt zu viele Gesichter unter der Sonne. Jemand aus der Juristischen Fakultät, der ein paar Jahre bei der niederländischen Kolonialarmee gedient hat. Ein noch leidlich junger Professor, dessen Gesicht einen bronzefarbenen Teint hat, sonnengegerbt. Einmal hat er davon erzählt, wie er in einer Stadt namens Bandung auf einer Teeplantage einer jungen Frau begegnet sei, die Herrin eines Schattentheaters war, und mit ihren bloßen Händen ganze Welten erscheinen lassen konnte.

Es wird nichts aus dieser Sitzung, sagt nun der Arzt, und es klingt endgültig. Zur Hölle mit diesem sogenannten Doktor, hört Hegel sich selbst und erschrickt über seine eigenen Worte. Er sieht Marie mit der Aufwartefrau tuscheln, die rasch aus dem Blickfeld abtaucht.

Es gibt keine Universität an diesem Tag. Stattdessen kommen ein paar Kollegen zu ihm: Mittags der besagte Jurist, kurz danach noch ein Vertreter der Theologischen Fakultät, der in ein Taschentuch mit Trauerrand hüstelt, während er über die Neubesetzung irgendeiner Professur spricht. Der Arzt steht stets im Hintergrund und überwacht die Gespräche, das Kommen und Gehen. „Er soll Wasser trinken, viel Wasser", hört Hegel den Doktor sagen. „Wenn er kein Wasser trinkt, dann gerät ihm alles durcheinander."

43

Als es dunkelt, sitzt er noch immer wie festgewachsen in seinem Lehnstuhl, um ihn eine Schar von ratlosen Gesichtern. Vor ihm eine Karaffe mit Wasser. Marie nötigt ihm mit sanfter Gewalt ein Glas nach dem anderen auf. Schließlich wird es ihm zu viel. Er steht auf und befiehlt alle aus dem Zimmer.

Endlich allein. Das Zimmer füllt sich mit Stille und Dunkelheit. Kein Licht, nur der matte Widerschein der Laternen von draußen. Wenn jetzt auch das Murmeln unhörbar würde, wäre es gut. Aber sie stehen alle noch vor der Tür, und beratschlagen, was man tun könnte, um seinen seltsamen Launen zu begegnen.

Sein Kopf wird schwer. Er hört es rauschen: Als sei eine Mühle in seinem Inneren tätig. Jetzt fällt der Kopf zur Seite, wird gewichtlos. Dann wieder diese Stimme, bildlos und seltsam vertraut:

Fürchte dich nicht. Ich habe dich bei deinem Namen gerufen.
Du bist mein.
Glaube nicht, was die anderen sagen. Sie haben
keinen Anteil an diesen Worten.
Niemand ist, der uns jetzt aufhalten könnte.
Die Nacht offenbart sich
im Weiß einer Seele:
Denke, daß alles ein Ende nehmen muß.
Suche in deinem Herzen den Frieden
zu halten. Kein Vorfall der Welt
soll es beunruhigen.
In dem Maße, in dem du liebst,
wirst du verstehen.

Wenn du durch's Wasser gehst, werde ich bei dir sein,
daß dich die Ströme nicht erfassen sollen.
Wenn du durch's Feuer gehst,
werde ich bei dir sein, damit du nicht brennst,
und kein Haar deines Hauptes versengt wird.
Erlösen will ich dich von dir selbst,
auf daß deine Gedanken mit meinen sich mischen,
eins werden unter dem Firmament meiner Augen.
In ihnen steht alles geschrieben:
was war, was ist, und was sein wird.
Sieh mich an:
Schwarz bin ich, doch schön
wie der Tag meines verborgenen Lichtes.
Höre, was ich dir sagen werde:

Es ist eine alte Geschichte: Ein König hatte viele Untertanen und unter ihnen auch einen Gelehrten. Dieser prophezeite und sprach: „Im kommenden Jahr, gleich nach dem Jahreswechsel, dürfen die Leute kein Wasser mehr aus unserem Brunnen schöpfen. Wer es dennoch tut, dessen Verstand wird sich verwirren."

So kam es also, daß die Leute große Töpfe bereitstellten, Fässer und andere große Behältnisse anhäuften und diese mit Wasser füllten, noch ehe das neue Jahr anbrach.

Nach dem Beginn des neuen Jahres verbrauchten sie das Wasser, welches sie angesammelt hatten. Das Wasser der Armen schwand bald dahin, denn sie hatten keine Mittel, um große Gefäße zur Aufbewahrung zu nutzen. Ihr aufgespartes Wasser war also rasch aufgebraucht.

Als es für sie kein Wasser mehr gab, gingen sie wieder zum Brunnen und schöpften ihr Wasser daraus. Und es geschah, daß jeder, der das Wasser des Brunnens trank, tatsächlich seinen Verstand einbüßte. Allmählich waren fast alle Leute der Stadt so weit gekommen, daß sich ihr Verstand entweder verdunkelt oder aufgezehrt hatte. Nur der König und der Gelehrte hatten noch ihren ganzen Verstand, denn sie waren vermögend und ihre Wassergefäße waren so groß, daß es bis an das Ende ihrer Tage gereicht hätte.

Aber alle anderen Leute zeigten einen heillos gestörten Verstand und stifteten grundlos Verwirrung und Ärgernis. Manchmal war es so, als ob sie sich gerade dem, was sie nicht tun sollten, ergeben hätten: Sie taten nämlich nur das, was ihnen gerade in den Sinn kam.

Schließlich sah der König ein, daß es keinen Ausweg mehr gab, daß er einsam und verlassen sei in einer verworrenen Welt. „Ich bemühe mich vergebens, wir verstehen einander nicht mehr", sagte er zu dem Gelehrten, „es ist also besser, ich mache es so wie meine Leute." Er ging daher zu dem Brunnen, schöpfte Wasser daraus, trank davon und wurde nun genauso wie seine Leute, so daß sie einander wieder verstanden.

So blieb nur der Gelehrte allein übrig, der von nun an die Welt und die Menschen nicht mehr verstehen konnte.

Jetzt sieht er plötzlich, wer zu ihm gesprochen hat. Ein Schwarzer in prächtigem Gewand. Ein Engel aus einer anderen Gegenwart. Seine Stimme tönt wie eine stolze Fanfare. Er steht in einem königlich anmutenden Gewand vor einer phantastischen Kulisse. Es könnte irgendwo im Orient sein, da, wo es weder Gesetze noch Schneeflocken gibt. Das Paradies der reinen Willkür. Eine Stätte für Weise und Wahnsinnige. Er atmet die Luft, die den Herrschern vorbehalten bleibt. Diese ist so zart wie die Haut seiner Geliebten, wenn sie in den Spiegel eintaucht.

Wenn er einen Namen hätte, dürfte man ihn nicht aussprechen. Es ist schließlich ein König, der vor einem steht. Die Krone hat er abgelegt, weil man ohnehin sogleich erkennt, wer er ist. Und wieder erklingt seine Stimme. Jetzt ist es ein Klang von metallischer Härte:

Wer wagt es, mich anzuschauen?
Weder aus Gold noch aus Silber bin ich gemacht,
meine Hände weisen auf nichts
als auf jenen verborgenen König.
Kein Wort liegt mir auf der Zunge,
um daß er nicht wüßte.
Im Gespräch meines Herzens
ist er zuhause.
Von allen Seiten umgibt er mich, unsichtbar,
hält wachsam seine Hand über mich.
Geborgen bin ich in ihm,
vor dessen Auge alles offen liegt.
Eine Zunge ist mir gegeben,
zu preisen den, der mich verwies in eines Anderen Traum.
Wer also sind jene, die über mich sagen,

daß ich nichts sei, ein Heide oder ein Fremdling?
Sie wissen ja nicht, was sie reden,
lauter Falsch spricht aus ihnen.
Sie haben Mäuler und reden nicht,
sie haben Augen und sehen nicht,
sie haben Ohren und hören doch nichts.
Kein Odem ist heimisch in ihrem Munde.
Er, der alles weiß, wird
zunichte machen die Toren, austreiben
den Lügenwahn ihrer Worte,
und ihre Gedanken allmählich
zur Wahrheit emporziehen.

Also spricht der, dessen Name vorerst verborgen ist. Hat er doch viele Namen, doch nur einer ist gültig. Wer ihn ausspricht, der hat sein Leben verwirkt. Und es tummeln sich zahllose Namen wie Sterne auf meiner Zunge. Jener, der sie allesamt kennt, er ruft sie hervor und mit ihnen deren verborgenen Glanz.

Er bestimmt ihnen eine Zahl, der sie folgen müssen. So ist es eine Schnur, die sich bildet und längt. Eine zarte Verkettung. Und diese Kette legt man mir um den Hals, damit ich gefesselt werde von ihm. Verstört und verkrümmt ist nun mein Sinn. Schwarz ist mir vor Augen, der Kopf wird immer schwerer, meine Seele verfinstert sich.

Tag und Nacht schreit meine Seele zu dir. Erhöre mich, einen Fußbreit nur bin ich entfernt von der Grube. Alle meinen, es sei bereits mit mir vorüber. Meine Kräfte schwinden, ich weiß weder ein noch aus. Die meisten zählen mich schon zum Dunkel. Man hat mich aufgegeben wie einen Toten; selbst deine Hilfe erreicht mich nicht mehr. Im tiefsten Abgrund bin ich, da, wo kein Licht mehr hinreicht. Der Zorn wirft mich nieder, mein Herz verengt sich in meiner Brust. Meine Freunde haben sich abgewandt von mir. Allein bin ich wie auf einer Insel. Ausweglos, im Elend gefangen.

Meine Hände strecke ich aus zu dir. Wirst du an den Toten Wunder vollbringen, werden die Verstorbenen auffahren und es dir danken? Wird man im Grabe erzählen von deiner Güte, von deiner Treue berichten den Toten? Werden deine Wunder geschaut werden in der Finsternis, und deine Gerechtigkeit gepriesen im Land des Vergessens? Ich schreie zu dir, um im Morgengrauen aufzustoßen die Pforten deines Gehörs.

Warum verstößt du meine notleidende Seele, warum verbirgst du mein Antlitz vor dir? Ich bin elend, dem Tode nah seit meiner Geburt. Ich erleide deine Schrecken, so daß ich verzage. Dein Grimm wütet über mir, deine Schrecken vernichten mich. Sie umgeben mich alle wie Fluten, sie umringen mich allesamt. Meine Freunde und meine Nächsten hast du mir entfremdet, und meine Vertraute allein ist die Finsternis.

So lege ich eine Hand auf das Meer, die andere auf die Sonne. Sag, wie soll ich verbinden das Tiefste und das Höchste? Das Licht raubt mir den Sinn, das Wasser steigt mir bis zum Hals.

Wer ist es, der mich erretten könnte? Ich stehe vor dir und vor mir selbst. Eine lange Reise liegt hinter mir. Mein Königreich ist fern. Es ist auf Sand und Sterne gebaut. Ma´rib, Karib´il, Saba,

Aksum. Namen, die nichts weiter sind als Lufthauch. Aber der Duft dieser Orte weht noch in mir, steigt immer noch auf zu den Himmeln. Ich habe den Weihrauch gebracht, als Morgengabe für den König, der uns die Erlösung bringt.

Sag, wo ist die Stadt, deren König ein Kind ist? Diese suche ich, und mit ihr sein Licht. Doch wehe dem Land, dessen König ein Knabe ist, und dessen Fürsten zur Morgenzeit schmausen.

Die vierte Nacht

Es gibt kein Entweichen. Die Nacht ist gefallen, und die Vernunft trübt sich ein. Jünglinge werden zu Fürsten, und Kindische herrschen über den Geist. Wer auf sich selbst vertraut, ist ein Narr.

Der Morgen kriecht über die Decke, verhüllt in greisenhaftem Licht. Schatten verkümmern zu nichts. Von draußen der Klang einer Schelle, als triebe jemand einen Spaß. Vielleicht ist es der Bäckerjunge, der in aller Frühe unterwegs ist, um seine Brötchen zu verkaufen. Er schäkert gern mit der Aufwartefrau, obwohl er weiß, daß sie dafür gar nicht zu haben ist. Seine mehlbestäubte Mütze wirft er manchmal hoch in die Luft, wenn er das Glück in allen Gliedern spürt. Es ist so viel unerklärliche Freude in der Welt.

Hegel steht auf und reibt sich die Augen. Er fühlt den Sand an seiner Fingerkuppe, die Reste der Nacht. Wieder ein Traum, der überstanden ist. Er denkt, daß es besser sei, nicht daran zu denken. Überhaupt ist ihm das Denken am Morgen eine Unerträglichkeit. Nichts ist wirklich, solange das Auge nicht einen schwarzen von einem weißen Faden unterscheiden kann. Der Kopf ist schwerer als Blei, und die Gedanken noch in der Schwebe. Es ließe sich nicht sagen, ob das, was gedacht wird, wirklich ist oder eine Ausgeburt der Finsternis.

Und auch die Bilder, die sich vor den Blick drängen, sind so verwirrend wie der nächtliche Traum. Er hat das Gefühl, er sei nicht mehr Herr in seinem eigenen Reich. Ein Feigenbaum, der keine Früchte mehr treibt. Wolkenfetzen über den Wipfeln der Häuser. Der ausblühende Stein. Ist Aufruhr im Land, dann mehren sich die Herrscher.

Das Herz aber ist ausgeplündert. Staub bedeckt jede Stelle des Körpers. Nächtliches, das an verschonten Gebeinen klebt. Im Kopf dieselbe Leere, wie einst, als die Liebe hervorkroch aus jeder Pore des Körpers. Schwärzer als Ruß ist die eigene Haut, ein entsetzlicher Spiegel. Er schreckt nun vor sich selbst zurück. Es muß eine Einbildung sein, eine schreckliche Laune seiner Phantasie.

Ein anderes Gesicht schiebt sich jetzt vor das eigene: Es ist der Jüngling mit der blauen Blume. Novalis. Einer, der das innere Neuland urbar zu machen versteht. Immer noch derselbe Ausdruck eines zu Tode erschreckten Mädchens. Er heftet seine Augen auf dieses Antlitz, als müsse er aus jenem Anblick das Schöne heraussaugen, um es sich einzuverleiben.

Friedrich von Hardenberg. Dichter und Bergbauingenieur. Er ging in die Tiefe, um als ein anderer daraus hervorzukommen. Mondsüchtig, verliebt und verdorben. Jemand, der die Genauigkeit mit der größtmöglichen Unklarheit zu verbinden verstand. Er entsinnt sich, daß er ihn zwei oder dreimal getroffen hat. Es schien ihm merkwürdig, mit jemandem in einem Raum zu sein, der so viel Unausgesprochenes in seiner Miene ausdrückte. Die Maske seiner Schönheit.

Im Sommer jenes Jahres, als in Paris das Revolutionstribunal abgeschafft wurde und der Kronprinz Louis Charles de Bourbon im Turm des Templerpalastes elend zugrunde ging, hätten sie sich im Garten des Niethammer'schen Hauses in Jena treffen sollen: Novalis, Fichte, Niethammer und er. Doch er verschanzte sich lieber im Haus des knochentrockenen Patriziers Steiger in Bern, um tagsüber seinen Pflichten als Hauslehrer nachzugehen und abends und nachts all das zu denken, was seinem Herrn und dessen Herren verhaßt war.

Man sagt, daß Novalis eine dreizehnjährige Braut sein eigen nannte. Das zarte und grausame Kind, das er war. Er vermochte nämlich nur Kinder zu lieben, also seinesgleichen. Jede echte Frau hätte ihm bloß Angst eingeflößt und ihn ins Unglück gestürzt. So bewohnte er also eine kleine Nische der unausgesprochenen Wonne. Seine Worte zeigen, was seine Gestalt zu verbergen versucht. Eine Nebelwand der Sprache, in der die Unschärfe das Wesentliche ausmacht. Ihm denkt er nach, unwissend, wohin es ihn führen mag.

Die Tür wird geöffnet und Marie steht plötzlich im Türrahmen. Sie trägt das veilchenblaue Kleid, das an einen Frühlingsmorgen denken läßt. Doch ihr Gesicht wirkt beunruhigt. Die bleiche Stirn ist von Sorgen zerfältelt. Sie möchte wohl etwas sagen, aber aus dem halboffenen Mund kommt kein einziges Wort. Als sei ihr die Sprache im Halse steckengeblieben, verklumpt zu einem unnützen Brocken. Einmal hat er gesehen, wie sie erbrechen mußte: Es war, als würgte sie an ihrer verzweifelten Liebe. Stinkende Sehnsuchtsreste, ein Schwall verkommener Gefühle.

Er sieht sie niemals an, wenn er sie liebt. Die Augen hält er fest verschlossen, um den Anblick der Lust zu vermeiden. Der Taumel bewirkt ja eine Erlahmung des Geistes, einen Zustand, der jede Unterscheidungskraft auslöscht. Alles wird eins und nur dem einem unterworfen.

Jetzt sagt sie doch etwas, ein kleiner Wortschwall, eine Kaskade von Nettem und Nichtigem. Er hört nicht hin. Meist ist es besser, nicht genau hinzuhören, und das Reden der anderen nur als eine Art von Geräuschkulisse wahrzunehmen, während man hin und wieder aufmunternd nickt. Es erspart einem die Mühen des Verstehens.

Sie nötigt ihn wieder ins Bett. Dort soll er liegenbleiben, während er sich sammelt und beruhigt. Die Gedanken sind winzige Fledermäuse, die wie toll im Zimmer herumschwirren, sich manchmal auf seinem kahlen Schädel niederlassen, um an einer vorspringenden Ader zu saugen. Das schneeweiße Kissen ist mit ameisengroßen Blutströpfchen gesprenkelt, doch niemand außer ihm vermag es zu sehen.

Erst muß er einen Krug Wasser trinken, dann gibt es irgendwann Mittagessen, bei halber Dämmerung eine Tasse Tee und ein kleines Stück Kuchen. Das Abendessen bleibt ihm erspart. Wieder ist dieser entsetzliche Doktor im Raum und tuschelt hinter vorgehaltener Hand. Kein Wunder, daß alle Welt ihn verachtet.

Irgendwann taucht er unter. Die Welt entgleitet ihm, und es ist gut so. Es ist der Wille Gottes vielleicht.

Das Zimmer weitet sich und wird zur Manege. Ein Kreisrund von Köpfen, in gleißendes Licht getaucht. Es riecht nach Sägespänen und den Exkrementen wilder Tiere. Inmitten ist ein hölzernes Podest errichtet.

Auf die kreisrunde Bühne tritt Heinrich Heine, Spötter im Haupt- und Dichter im Nebenberuf, ein Verseschmied, der Allerunverschämteste seiner Zunft. Er ist einer, den die Mächtigen und die gewöhnlichen Dichter fürchten. Jetzt trägt er eine schwarze Soutane und schminkt sich während seines Vortrags das fahle Gesicht kohlrabenschwarz.

Dann tritt er nah an die Rampe, streckt die Brust hervor und spricht mit rollender Stimme:

Das Sklavenschiff

Der Superkargo Mynheer van Koek
Sitzt rechnend in seiner Kajüte;
Er kalkuliert der Ladung Betrag
Und die probablen Profite.
»Der Gummi ist gut, der Pfeffer ist gut,
Dreihundert Säcke und Fässer;
Ich habe Goldstaub und Elfenbein -
Die schwarze Ware ist besser.
Sechshundert Neger tauschte ich ein
Spottwohlfeil am Senegalflusse.
Das Fleisch ist hart, die Sehnen sind stramm,
Wie Eisen vom besten Gusse.
Ich hab zum Tausche Branntewein,
Glasperlen und Stahlzeug gegeben;

Gewinne daran achthundert Prozent,
Bleibt mir die Hälfte am Leben. "

Es ist zu berichten, sagt der schwarzgewordene Herr Heine, es ist zu berichten von einer denkwürdigen Sache, einem Dreieckshandel, welcher zweifellos eine Erfindung des Teufels gewesen sein könnte, wenn es diesen Teufel denn gebe. Ich rede nämlich von der Verschiffung westafrikanischer Sklaven nach Mittel- und Südamerika, dem Transport von Rum, Melasse und Baumwolle von Amerika nach Europa als Erlös für die menschliche Ware, und der Lieferung einfacher Schmuckwaren und billiger Stoffe als jenen kärglichen Lohn, der von Europa als milde Gabe nach Afrika wieder zurückkehrt.

Mit jedem Winkel dieses Dreiecks wird der Kreislauf diabolischer, als hätte Satan höchstpersönlich seine Hand mit im Spiel. Am Ende gibt es nämlich als mageren Gegenwert eines ganzen Menschenlebens nicht mehr als ein paar Murmeln, mit denen man die einfältigen Gemüter der Eingeborenen erfreut. Schlangenbrut, die das Geld zum Abgott gemacht hat! Der Zorn der Niedrigen soll euch treffen, ebenso wie der des Allerhöchsten! Alles ist nämlich mit allem verknüpft.

Wißt ihr denn nicht, daß im Hannoverschen, da, wo das Land flach und die Köpfe meist hohl sind, viele wilde Schwäne ihre Heimstatt haben? Der Himmel ist ihre Heimat, aber die Erde bleibt ihr Schicksal. Im Herbst suchen sie Sonne und Licht in den wärmeren Zonen und im Sommer kehren sie wieder zurück. Den Winter aber verbringen sie wahrscheinlich in Afrika.

In der Brust eines toten Schwans fanden wir einmal einen Pfeil, welchen der Göttinger Professor Blumenbach als einen afrikanischen erkannte. Der arme Vogel! Mit dem Pfeil in der Brust war er dennoch zu seinem nordischen Nest zurückgekehrt, um dort zu sterben. Mancher Schwan aber mag, von solchen Pfeilen getroffen, nicht imstande gewesen sein, seine Reise zu vollenden. So blieb er vielleicht kraftlos zurück in einer Sandwüste, oder er sitzt mit ermatteten Schwingen auf irgendeiner Pyramide, schaut sehnsüchtig nach dem Norden, nach dem kühlen Sommernest im Lande Hannover.

So hat ein jeder seinen eigenen Pfeil in der Brust. Es ist ein brennender Pfeil, der einem das Herz versengen mag. Wie groß ist der Abstand zwischen zwei Herzen? Ein Faden, den Ariadne gewirkt hat, um einen Weg zum Geliebten zu finden. Zwischen den Menschen und Kontinenten besteht ein unsichtbares Band, das niemand zu durchschneiden vermag. Vieles wissen wir, bevor es sich in unseren Gedanken eingenistet hat. Brutstätten der Hoffnung wie der Verzweiflung. Doch weder die Leute im Hannoverschen, noch weniger die in Göttingen, vermögen solches nachzuvollziehen. Wer kennt nicht die Bewohner von Göttingen: Eingeteilt sind sie in Professoren, Studenten, Philister und Vieh, wobei letzteres noch bei weitem den bedeutendsten Stand darstellt.

Die Menschen aber sind Ströme zwischen den Kontinenten. Sie rinnen aus den Wunden ihrer Vaterländer und verlieren sich vielleicht einmal im afrikanischen Sand. Wer spürt dann noch ihren Schmerz, der zur Wüste gerinnt?

Doch ich fühle es schmerzhaft. Es ist, als risse man ein Glied meines Körpers aus. In der Seele fühle ich einen physischen

Schmerz. Vergebens bemühe ich mich, Beschwichtigendes zu erfinden: Afrika ist auch ein gutes Land und die Schlangen dort züngeln nicht viel von christlicher Liebe. Die dortigen Affen sind vielleicht nicht gar so widerwärtig wie die deutschen Affen.

Die deutschen Dämonen, wenigstens das solltet ihr wissen, sind allesamt romantische Gestalten. Sie hausen in alten bösen Liedern und hüpfen wie übellaunige Krähen von Ast zu Ast. Die Bäume tragen ihre Geschichten. Es rauscht und es säuselt, in allen Blättern regen sich Rätsel und Zaubersprüche. Wo sie Wurzeln treiben, da wächst das Dunkel himmelwärts. Säulenheilige der Finsternis. Sie sind schwarz, von solcher Schwärze, die einem Angst einjagt.

Schwarz bin, doch schön. Schaut mich an: Meine Haut, sie erzählt euch ihre Geschichte. Ich habe Länder und Meere gesehen. Wer mich erkennt, verliert seine Maske wie seine Unschuld. Einst hieß ich Périto, dann ward ich Scardanelli, darauf ein namenloser König und schließlich der Dichter, den man aus seinem Hause verjagt, einer, der elend untergeht in seiner Matratzengruft. Ich sage euch, was ich denke. Doch ihr seid es gewohnt, daß man euch einseift mit seichtem Geschwätz, euch die üblichen Lügen auftischt, das sattsam Bekannte und auch die aufgewärmten Histörchen. Von mir aber sollt ihr bekommen, was ihr nicht verdient: Ein Lied.

Ich nehm mir ein Mädchen, das mir gefällt,
am liebsten so ganz ohne Schleier,
es sollte herkommen aus ferner Welt,
und meiden das alte Geleier.
Ich legte es sanft aufs dornige Kissen

und küßte den blühenden Mund,

das Mädchen, es hütet ihr halbes Wissen

und streichelt die Seele gesund.

Was ist's, was ich fühle in dieser Nacht,

ein Raunen, ein Zwitschern, ein Singen?

Es ist, was ich niemals zu Ende gedacht,

ein Lied, das wird immer erklingen.

Jetzt ist es an euch, mir zu widersprechen. Keine rührselige Romantik. Reißt das Maul auf! Freiwillige vor! Aber es gibt heutzutage keine Leute mehr, die etwas wagen. Lauter Lakaien, Laffen, Liebestölpel. Ein Sumpf von Mittelmaß, Menschengezücht, das sich mit dem billigen Flitter der Einbildung schmückt. Um euch zu entlarven, benötige ich keine Brille, damit ich schärfer sehe, und all die kleinen verheimlichten Buckel und Warzen eurer Sünden erkenne.

Ihr sollt nämlich wissen, daß ich bei weitem der scharfsinnigste aller Beobachter und Bösewichte bin und dazu auch noch ausgestattet mit der allerbesten Nase. Es reicht ja, eure Ausdünstungen zu riechen, und schon weiß man, daß man es mit nichts weiter als mit gewöhnlichem Vieh zu tun hat, das rund um die Manege sitzt und nicht mehr zu tun weiß als zu gaffen.

O glotzendes Pack, das jedem Kuhstall zur Ehre gereichen würde! Ihr seid meiner nicht wert. Ich bin ein schwarzer König, der am Anfang eines ungeschriebenen Gedichtes mitten in der Nacht aus einem weißen Zelt hervortritt: wie eine Mondfinsternis. Ich besitze auch eine schwarze Geliebte mit leidlich gut erhaltenen

Zähnen. Wenn mir wohl zumute ist, rühre ich die Trommel und rufe so die Geister meiner Ahnen herbei. Sie hocken dann wie Krähen auf meinen Schultern und krächzen ihre bösen Lieder, welche von Zorn und Lärm handeln.

Von alldem wollt ihr nichts wissen. Es gibt ein Wissen, das niemals geteilt werden kann. Ihr glaubt, daß euer fluchwürdiges Wissen den anderen den Fortschritt bringen würde, den sie so bräuchten. Ihr sollt jedoch wissen: Jede Zivilisation endet irgendwann notwendigerweise in der Barbarei, und meist verbündet sie sich gleich von Anfang an mit ihr, um zu einem bestimmten Zeitpunkt barbarisch zu werden.

Unsre Erbschwäche besteht ja darin, daß wir in den Augen der Welt immer anders erscheinen wollen, als wir wirklich sind. Das Selbstporträt ist eine Lüge, bewundernswürdig ausgeführt, aber es bleibt stets eine brillante Lüge.

Da war der König der Aschanti, von welchem ich jüngst in einer afrikanischen Reisebeschreibung viel Ergötzliches las, viel ehrlicher, und das naive Wort dieses schwarzen Fürsten, welches die oben angedeutete menschliche Schwäche so spaßhaft resümiert, will ich hier mitteilen.

Als nämlich der Major Bowdich in der Eigenschaft eines Ministerresidenten von dem englischen Gouverneur des Kaps der Guten Hoffnung an den Hof jenes mächtigsten Monarchen Südafrikas geschickt ward, suchte er sich die Gunst der Höflinge und zumal der Hofdamen, die trotz ihrer schwarzen Haut mitunter außerordentlich schön waren, dadurch zu erwerben, daß er sie porträtierte. Der König, welcher die frappante Ähnlichkeit bewunderte, verlangte ebenfalls konterfeit zu werden und hatte dem Maler bereits einige Sitzungen gewidmet, als dieser zu bemerken glaubte, daß der König, der oft aufgesprungen war, um die Fortschritte des Porträts zu beobachten, in seinem Antlitze einige Unruhe und die grimassierende Verlegenheit eines Mannes verriet, der einen Wunsch auf der Zunge hat, aber doch keine Worte dafür finden kann. Der Maler drang jedoch so lange in Seine Majestät, ihm Ihr allerhöchstes Begehren kundzugeben, bis der arme König endlich kleinlaut ihn fragte: ob es nicht anginge, daß er ihn *weiß* malte?

Das ist es. Der schwarze König will weiß gemalt sein. Aber lacht nicht über den armen Afrikaner – jeder Mensch ist ein solcher schwarzer König, und jeder von uns möchte dem Publikum in einer anderen Farbe erscheinen, als die ist, womit uns die Fatalität angestrichen hat.

Gottlob, daß ich dieses begreife, und ich werde mich daher hüten, hier in dieser Rede mich selbst abzukonterfeien. Doch nun habe ich angefangen und es muß also auch irgendwie zu Ende gehen. Ich bin ja der letzte einer alten Schule. Ein entthronter König der Romantik, von böswilligen Mächten vertrieben aus seinem Märchenreich. Man reiche mir also die Sakramente, damit ich endgültig Abschied nehmen kann von einer Welt, die mich nur noch verachtet.

Ich berichte also weiterhin von meinen Abenteuern als schwarzer Dichter, oder vielleicht als Dichter einer schwarzen Romantik. Es beliebte mir nämlich, mein weißes oder auch zart gebräuntes Publikum dadurch zu schockieren, daß mein Humor sich zunehmend dunkler färbte und schließlich so finster und furunkulös war wie der Hintern des Teufels.

Dieser besitzt, wie wir alle hoffentlich wissen, einen Humor, den er von seiner Großmutter geerbt hat, die anfangs angeblich sein Eheweib war, und Lilith hieß. Im Anfang war sie nichts als ein Nachtgespenst, das böse Träume beschert. Als erste Gefährtin des ersten Menschen, ward sie alsdann die Urmutter eines Geschlechtes von Riesen. Diese donnerten mit steinernen Füssen und Flammenzungen für Jahrtausende über die Erde, Angst und Schrecken verbreitend. Dann waren sie plötzlich verschwunden und niemand weiß zu sagen warum.

Lilith aber, weil sie nun kinderlos und Adam längst zu Staub geworden war, sah sich nach anderem um. Lilith, glatte Schlange, Sündenprächtige, lehre mich deine Grausamkeiten und die schöne Kunst der Lüge! Ich verteufle mich in ungereimten Versen. Laßt mich neue und scharfzüngige Worte finden für all das Nichtige unter der Sonne! Quälen will ich meine Feinde, mit Phantomen sie erschrecken, und den Vorgeschmack der Hölle sollen sie beständig kosten.

So fand also Lilith schließlich den Teufel, und becirte ihn mit ihrem uralten Charme. Das Dunkle liebt stets ein anderes Dunkel; also vermählten sie sich. Gemeinsam fanden sie ihre Erfüllung darin, wankelmütige Seelen mit mancherlei Schlingen zu fangen. Auch stellten sie Kindern nach, und sorgten dafür, daß Unheil und Wahn sich wie die Pest ausbreiteten.

Aber irgendwann kommt immer der Augenblick, da die große Langeweile ausbricht und mit ihr die Lustlosigkeit. Die Masken fallen, und es erscheinen blanke Gesichter: Die Kehrseite der Schönheit entblößt sich vor aller Augen. Der Teufel bemerkte, daß seine Frau nicht mehr war als eine steinalte Hexe, ein weiblicher Dämon mit häßlichen Bocksfüßen, nach saurem Schweiß und Zwiebeln riechend.

Also erklärte er sie kurzerhand zu seiner eigenen Großmutter und verbannte sie in die untersten Bezirke der Hölle. Dort, in seiner Höllenküche, mußte sie tagaus und tagein seine Lieblingsspeise zubereiten: Blutwurst, Kartoffelbrei und ein Mus, gekocht aus fauligen Äpfeln. Nach jedem Mahl furzte er mit solcher Kraft, daß sich die finstere Küche mit Rauchschwaden füllte, denn, wie jedermann weiß, ist der Furz des Teufels so teuflisch heiß und lodernd wie die Hölle selbst.

Dann machte er es sich auf dem Ofen bequem und schlief und schnarchte für ein Stündchen. Es konnte dann geschehen, daß des Teufels Großmutter ihm manchmal ein Haar oder Härchen ausriß, um es für spätere Zeiten und für ihre süße Rache aufzubewahren. Es dauerte aber noch lange, bis es ihr gelang, mithilfe der geraubten Haare dem Teufel einen gepfefferten Streich zu spielen.

Die Jahre wurden zu Jahrzehnten, Jahrzehnte dehnten sich zu Jahrhunderten, der Glanz Athens löste sich in Staub auf, Rom fiel, und die Barbaren überschwemmten Europa, in Aachen setzte sich ein langbärtiger Kaiser auf einen marmornen Thron, in Italien tauchten die Maler auf einmal ihre Bilder in Frühlingsfarben, und von Portugal aus stießen wagemutige Männer in See, um einen neuen Kontinent zu erkunden.

Da sah die Großmutter endlich ihre Stunde gekommen. Sie hatte nun ein gutes Büschel Teufelshaare beisammen und ihre Zauberkraft reichte noch so weit, daß sie drei Dutzend davon durch die Lüfte hinweg pfeilschnell zu schicken vermochte, bis diese auf den schweißnassen Rücken von drei Seeleuten landeten, die gerade dabei waren, die Planken eines mächtigen Segelschiffes zu schrubben.

Als sie die Haare an ihrem Rücken spürten, da sprangen sie auf und meinten, der Wind hätte ihnen zarte Federn an ihre Hinterseite geweht. Ikarische Gefühle erwachten. Ihnen schien, als seien plötzlich winzige Flügel an ihren Schulterblättern gewachsen. Doch im selben Moment, als sie dieses vermeinten, waren schon alle verhext und verteufelt.

Es begann alles ganz harmlos zunächst, gar nicht wie ein Hexensabbat: Das Schiff löst sich urplötzlich in Nichts auf und eine breite Bergkuppe erscheint. Zu beiden Seiten Bäume, an deren Zweigen seltsame Lampen hängen, welche die Szene erleuchten. In der Mitte ein steinernes Postament, wie ein Altar, und darauf steht ein großer schwarzer Bock mit einem schwarzen Menschenantlitz und einer brennenden Kerze zwischen den Hörnern. Im Hintergrunde Gebirgshöhen, die, einander überragend, gleichsam ein Amphitheater bilden, auf dessen kolossalen Stufen als Zuschauer die Würdenträger der Unterwelt sitzen, nämlich jene Höllenfürsten, die wir in Träumen und Alpträumen gesehen und die hier noch riesenhafter erscheinen. Auf den Bäumen hocken Musikanten mit Vogelgesichtern und wunderlichen Saiten- und Blasinstrumenten.

Die Szene ist bereits ziemlich belebt von tanzenden Gruppen, deren Trachten an die verschiedensten Länder und Zeitalter erinnern, so daß die ganze Versammlung einem Maskenball gleicht, umso mehr, da wirklich viele darunter verlarvt und vermummt sind. Wie barock, bizarr und abenteuerlich auch manche dieser Gestalten, so dürfen sie dennoch den Schönheitssinn nicht verletzen, und der häßliche Eindruck des Fratzenwesens wird gemildert oder verwischt durch märchenhafte Pracht und eine Art positives Grauen, das sich einstellt, wenn man das Ganze als *ein Bild* auf sich wirken läßt.

Vor den Bocksaltar tritt ab und zu ein Paar, ein Mann und ein Weib, jedes mit einer schwarzen Fackel in der Hand, sie verbeugen sich vor der Rückseite des Bocks, knien davor nieder und leisten ihm die Huldigung des popologischen Kusses. Unterdessen kommen neue Gäste durch die Luft geritten, auf Besenstielen, Mistgabeln, Kochlöffeln, auch auf Wölfen, Ratten und Katzen. Die drei Seeleute sind schon längst mittendrin und amüsieren sich prächtig. Die Ankömmlinge finden hier die Buhlen, die bereits ihrer harrten. Nach freudigster Willkommensbegrüßung mischen sie sich unter die tanzenden Gruppen.

Auch Ihre Hoheit, die Kaiserin von Kalumina, kommt auf einer ungeheuren Fledermaus herangeflogen. Sie ist so entblößt wie möglich gekleidet und trägt am rechten Fuß den goldenen Schuh. Sie scheint jemanden mit Ungeduld zu suchen. Wer mag es sein? Viele sind es gewesen…Einst, so erzählt man sich, hatte sie pechschwarzes Haar, und war für all ihre Soldaten eine Gefahr. Ihre grünen Augen vermochten sämtliche Männer zu verlocken. An ihrem roten Herz brannte sich mancher zu Tode. Doch da kam einmal ein schwarzer Prinz, der galoppierte stolz durch ihr Herz und gewann es für sich.

Endlich erblickt die weißgewordene Kaiserin den Ersehnten, nämlich Faust, welcher mit Mephistophela auf schwarzen Rossen zum Feste heranfliegt. Erinnerungen an Lüste und Feste. Er trägt ein glänzendes Rittergewand, und seine Gefährtin schmückt das züchtig enganliegende Amazonenkleid eines deutschen Edelfräuleins. Faust und die Herzogin stürzen einander in die Arme, und ihre überschwellende Inbrunst offenbart sich in den verzücktesten Tänzen.

Mephistophela hat unterdessen ebenfalls einen erwarteten Verehrer gefunden, einen dürren Junker in schwarzer, spanischer Manteltracht und mit einer blutroten Hahnenfeder auf dem Barett. Doch während Faust und die Herzogin die ganze Stufenleiter einer wahren Leidenschaft, einer wilden Liebe durchtanzen, ist der Zweitanz der Mephistophela und ihres Partners, als Gegensatz, nur der buhlerische Ausdruck der Galanterie, der zärtlichen Lüge, der sich selbst persiflierenden Lüsternheit.

Alle vier ergreifen endlich schwarze Fackeln, bringen in der obenerwähnten Weise dem Bocke ihre Huldigung und schließen sich zuletzt der Ronde an, womit die ganze vermischte Gesellschaft den Altar umwirbelt. Das Eigentümliche dieser Ronde besteht darin, daß die Tänzer einander den Rücken zudrehen und nicht das Gesicht, welches nach außen gewendet bleibt.

Und nun geschieht etwas Merkwürdiges, kaum Vorstellbares. Die Szene wandelt sich nämlich und der ganze prächtige Spuk fällt wie ein Kartenhaus in sich zusammen. Ein Unsichtbarer hat ein Zauberwort ausgesprochen und alle Gestalten getilgt. Die drei Seeleute sind wieder zurück auf ihrem Segelschiff, das irgendwo vor der Westküste Afrikas umherschifft, auf der Suche nach unbekannten Gefilden, wo es sich leben und träumen ließe. Und das verflixte an dieser Verwandlung ist, daß einer der Seeleute, der jüngste und frechste nämlich, tatsächlich schwarz geworden ist, so schwarz wie einer der Bewohner jener noch unentdeckten Gefilde nur sein kann. Auch trägt er auf dem Kopf eine ziemlich lächerlich anmutende Papierkrone, die sein krauses und widerspenstiges Haar notdürftig verdeckt.

Die anderen beiden aber, sie fallen wie wildgewordene Tiere über ihren plötzlich kohlrabenschwarz gewordenen Gefährten her, und hätten ihn um ein Haar vor aller Augen zerrissen und zerfleischt, wenn nicht ein Blitz aus heiterem Himmel herabgefallen, und den Schwarzgewordenen im Nu emporgerissen und durch die Lüfte hinweggeschleudert hätte, mitten in ein ganz und gar fremdes Königreich.

Da sieht er sich plötzlich mitten auf einem sonnenüberströmten Platz, den ein Ring von überkuppelten Lehmgebäuden umgibt. Die Hitze flirrt und das übermäßige Licht blendet, so daß er kaum noch zu blinzeln vermag. Doch er hört eine Trommel, die alles übertönt, ein gleichmäßiger Ruf, der nichts Gutes verheißen mag. Danach vernimmt er auch die Rufe der Umstehenden, die ihn verhöhnen und lachen. Ein paar Leute lösen sich aus der Gruppe und reißen ihm nach einigem Gezerre die alberne Krone vom Kopf.

Jetzt steht er da, völlig allein, und sie kommen ihm immer näher, reißen ihm jetzt auch noch die Kleider vom Leib, so daß er bald nackt und hilflos dasteht. Was dann ausbricht, ist eine Orgie der Gewalt, ein Blutbad, wie er es niemals zuvor auch nur im Traum geschaut hat. Der Bote des Todes zieht langsam sein Schwert. Einer stürzt sich auf den anderen, zwei Körper verkrallen und verbeißen sich ineinander und lassen solange nicht voneinander ab, bis einer kraftlos und tot unter dem anderen liegt.

Und auf Geheiß des Todesboten hin greift die Gewalt von einem auf den anderen über. Ganze Gruppen liegen auf einmal im Kampf miteinander, und am Ende erfaßt dieser rasend unbändige Zorn selbst die Tiere, die ihren Herren nacheifern. Alle Bande sind plötzlich zerrissen, allgemeine Zerstörung und Auflösung greift wie ein Lauffeuer um sich. Das maßlose Gemetzel triumphiert, bis schließlich alles Lebendige, das sich auf dem Platz eingefunden hat, ausgelöscht ist.

Dieses verheerende Aufbrausen, die Zertrümmerung aller Regeln, das blinde Eifern des Blutes, es hat wohl darin seinen Sinn, daß gar kein Inhalt oder Gedanke dahinter steht, sondern ein Fanatismus des wildgewordenen Körpers. Verwüstend, zerstörend, das Gegenbild alles Erhabenen.

Er aber, der zum Schwarzen gewordene Seemann, er liegt begraben unter den vielen Toten, halbtot oder halblebendig. Und nun hört er das tausendstimmige Heulen der Weiber, welches in seinen Ohren noch schlimmer ertönt als das Trommeln und die Schreie der Krieger.

Das Geheul rührt daher, daß es nun den dreitausenddreihundertdreiunddreißig Frauen des Königs an den Kragen geht. Auch sie werden von dem verbliebenen Rest des königlichen Hofstaates hingemetzelt. Bald darauf ziehen die Aasgeier über dem Schlachtfeld ihre Kreise, hoffend auf ihre Gelegenheit. Wer jetzt noch übrig ist, dessen Geist ist verwirrt durch jenen Blutrausch. Die meisten aber haben vollständig den Verstand verloren, irren wie Untote über blutgetränktem Staub.

Ein Geruch liegt in der Luft, der einem den Atem stocken läßt. Die Fahne der Verwesung. Die Verbliebenen machen sich jetzt über die Toten her. Ein Fest soll es werden. Abermals gärt die Gewalt. Dem Sieger allein gebührt das Herz der Gemeuchelten. Der König ist tot, seine Weiber und ebenso seine Feinde sind dahin. Was bleibt, ist die Erinnerung an einen unvergleichlichen Rausch. Furien und Lemuren haben gewütet.

Jetzt ist die Stunde der Zauberer. Nacht ist hereingebrochen und mit ihr das Grauen. Sie kommen aus ihren Höhlen hervor, kriechen wie Spinnen aus ihren Nestern. Rasch ist das teuflische Netz gewirkt. Bald schon sind einige der Toten auf ihre Weisung hin vollständig entkleidet. Bevor man sie häutet, werden ihnen die Augen herausgeschnitten und den räudigen Hunden zum Fraß vorgeworfen. Selbst im erstorbenen Blick liegt noch eine Kraft, die vernichtet werden sollte. Danach werden die Leichen zerrissen, zerstückelt, zerteilt, je nach der Laune dessen, der das schlimme Geschäft besorgt. Ein Festmahl soll es werden, ein Spaß für die kleine Menge derer, die übrig sind.

Schließlich wird ein hölzerner Stab, an dessen Spitze ein herrlich mißgestalteter geschnitzter Kopf sich befindet, in die Erde gerammt. Da herrscht er, der Fetisch, die zur Anschauung gebrachte Macht einer Unterwelt. Sie tanzen um ihn, bringen den Lärm und den Zorn ihm zur Gabe. Und er schaut herab auf seine Diener, die Brut seiner Geschöpfe. Die Willkür bleibt Meisterin ihres Bildes.

Das Feld ist bestellt, der Acker ist reif. Sperber mit Menschenköpfen fliegen mit ausgebreiteten Flügeln dicht über dem Boden. Eine zerfetzte Leinwand wirbelt durch die Luft. Darauf sind Gestalten zu sehen, die im Schlaf und im Traum gezeugt worden sind. Hell und Dunkel liegen in ewigem Kampf. Schwarzweiße Schattengeister haben das Aussehen von Affen angenommen, die ihre feuchten Nasen in Aashügel bohren. Das Katzengesicht bewehrt sich mit eisernen Haaren. Eulen schwärmen durch die Nacht, rauben sich selbst den Verstand. Ein einsamer General steht vor dem Nichts, die Segelohren mit Schlössern verhängt. Er starrt sprachlos ins Leere. Es gibt eine Sprache der Hölle.

Aus dem Totenberg kämpft sich der schwarze Seemann. Einst war er weiß, und hatte die unverschämteste Zunge von allen. Sein Lächeln brachte die Frauen um den Verstand. Das Glück, das er in sich trug, war das leichteste unter der Sonne. Er lachte, ohne zu wissen warum.

Doch das eigene Lachen ist ihm nun fremd geworden. Er erkennt seinen eigenen Körper nicht mehr, wenn er an sich herabsieht. Schwarze Maske, weiße Haut. Jetzt ist und bleibt er so finster wie die Nacht, die über ihn herabgefallen ist.

Sein Geist hat sich verwirrt, seine Zunge gehorcht ihm nicht mehr. Er irrt umher, ohne zu wissen wohin. Es gibt kein Licht in seinem Herzen, und auch keine Sonne, nach der er sich richten könnte.

Die fünfte Nacht

Im Erwachen sieht er das vollmondartige Gesicht des ebenholz-
farbenen Königs von Dahomey vor sich, kaum eine Handbreit von
seiner Nasenspitze entfernt. Er ist es, kein Zweifel. Dieser König
trägt nämlich die Würgemale seiner Frauen am Hals. Er hält drei
Papageieneier in seinem halbgeöffneten Mund, was merkwürdig
und lächerlich zugleich wirkt. Die Eier sind beinahe vollkommen
kugelförmig und ihre Farbe schimmert marmorweiß. Die Wissenschaft von den Eiern, so glaubt sich Hegel zu erinnern, ist die Oo-
logie. Ein seltsamer Begriff. Schon klopft es an der Schale, und er
bemerkt zu seinem Entsetzen, daß aus einem der Eier wirklich ein
winziger Papagei in einer Art Karnevalskostüm hervorschlüpft.
Ein buntes kleines Etwas, das sogleich hohe und fiepsige Laute
von sich gibt.

Eigentlich plappern die Papageien doch gerne, zumindest sind
sie dafür allgemein bekannt. Genauso wie es Menschen gibt, die
lediglich das nachschwatzen, was andere ihnen einsagen, herrscht
eben auch bei den Papageien die Unsitte, das nachzuplappern, was
andere ihnen vorgesagt haben. Selbst an den Universitäten sind
solche Papageien zu finden, jedoch in menschlicher oder wenigstens annähernd menschlicher Gestalt. Die Papageienphilosophie

ist stets die vorherrschende. Es wird ja meistens nur gedankenlos das wiederholt, was der jeweiligen Zeit als richtig und als erwiesen gilt.

Der schwarze König verblaßt jetzt vor seinen Augen, wird zu einem Schmutzfleck an der Tapete. Und das winzige Papageientier plappert noch eine kleine Weile vor sich hin, ohne daß sich ein rechter Sinn daraus erschließen ließe. Schließlich aber verwandelt sich das bunte Wesen. Es wechselt die Farben, bis nur noch ein schmaler Streifen Gold übrigbleibt. Jetzt ist es ein anderes Tier: ein kleiner goldgelber Skorpion mit erhobenem Stachel.

Von den Skorpionen hat er früher einmal gelesen, daß sie mit den Spinnen verwandt seien, und, ähnlich wie diese, eine tödliche Kraft in ihnen verborgen sei. Ihr Gesicht jedoch gliche dem Antlitz einer keuschen Jungfrau, während ihr Biß nach drei Tagen den Tod bringen würde. Aristoteles hat behauptet, er habe sogar geflügelte Skorpione mit zwei Stacheln gesehen. Nähere Beweise führte er allerdings nicht an. Wahrscheinlich hat er sie geträumt. Auch Gelehrte haben ihre Momente, in denen der Geist durchlöchert wird von den Motten der allesfressenden Phantasie. Es gibt auch Berichte anderer antiker Schwätzer, die tatsächlich meinen, ein toter Skorpion könnte dann wieder auferstehen, wenn man ihn mit dem Saft von Nießwurz befeuchtet.

Glauben, Aberglauben. Selbst die Wissenschaften verkümmern unter dem Einfluß ihrer verheimlichten Träume. Jede Wissenschaft ist ja auf dem Grab eines verstorbenen Traums errichtet. So mischen sich sorgsam Erdachtes und die unreinen Spuren des Ursprungs. Ein Verwesungsgeruch liegt über allem, was den Gedanken entsprungen ist. Morast einer untergeordneten Welt. Es entstehen mit der Zeit Überlagerungen von inneren Vorgängen und Erinnerungen, Sedimente einer Innenwelt, die zugleich tot und lebendig ist.

Jetzt müßte ich aufstehen, denkt Hegel, aber die Füße haben ihren eigenen Willen. Man kann sie nicht zwingen. Es könnte sein, daß die Füße sich gegen ihren Herrn erheben. Verschwörer der unteren Gefilde. Leider ist es nicht möglich, auf dem Kopf zu gehen.

Fetzen der Innenwelt flattern wie Stoffreste an einer Vogelscheuche. Man müßte sie ergreifen und verbrennen, die schäbige Hexe der Einbildung. In einer Minute der Nacht ist alles zusammengewürfelt: Abgelegte Gefühle, Schaum vergangener Zeiten, Blitzlichter der Leidenschaften. Einmal sind sie so scharf und klar umrissen wie Wirkliches, dann wieder verworren, eine phantastische Ruinenlandschaft, die längst verlassen und ausgestorben ist. Ständig spielt einem das Gedächtnis seine Streiche, und kitzelt die Neugier nach Abgelebtem hervor. Die Verschmelzung verschiedenartiger Eindrücke in einem Bild mag bewirken, daß eine Art Doppelbelichtung entsteht: Verschiedenes fügt sich dem Einen, das aber dunkel bleibt, mit keinem Wort oder Begriff zu erfassen.

Und wenn ich mich daran erinnern möchte, so ist es ein Schlachtfeld von widersprüchlichen Bildern, Tönen und Gerüchen. Auch Gefühltes, Gekostetes mischt sich hinein in jene verwirrende, niemals aufzulösende Ordnung. Gibt es so etwas wie eine Logik des Traums? Falls ja, dann möchte ich der erste sein, der sie schreibt, und danach sogleich wieder vernichtet. Denn tatsächlich gibt es gar nichts Gefährlicheres als die Vernunft einer

Unvernunft. Löscht sie doch all das aus, was in mühevoller Gedankenarbeit aufgerichtet und zusammengefügt wurde. Es gibt eine Willkür im Inneren, die weitaus schlimmer ist als die Willkür sämtlicher Tyrannen der Welt.

Heute ist ein wichtiger Tag, sagt sich Hegel, nun wieder vollständig bei Trost. Ein überaus wichtiger Tag. Um vierzehn Uhr bittet der König zur Audienz. Er hat ihn bisher nur ein- oder vielleicht auch zweimal getroffen. Ein eigenartiger Monarch, wahrscheinlich auch schwermütig. Unsagbar schwer fällt dem König der Entschluß. Er überlegt, zaudert, läßt am Ende die Dinge ihren Lauf gehen. Er duldet lange, was ihm mißfällt, da er seine eigene Ansicht nicht allzu laut kundtun mag. Wenn aber entschieden werden muß, dann folgt er allein und unbeirrt seinem Gewissen. Mit einer Gräfin zweifelhafter Herkunft und zudem katholischer Konfession, lebt er einigermaßen glücklich in morganatischer Verbindung. Er kränkelt oft, und wirkt zuweilen geistesabwesend, als sei er in Tagträumen unterwegs.

Aber er ist der König. Deshalb muß ich jetzt aufstehen, auch wenn alle Welt mich daran hindern will. Er steht also auf, schiebt alle beiseite, die sich ihm durch Zureden in den Weg stellen möchten. Ein kurzes Frühstück in aller Eile. Dann in der Kutsche zur Universität. So viel liegengebliebene Korrespondenz, Asche und Abraum der Wörter. Er spricht mit Menschen, deren Gesichter sich vor seinen Augen in Nichts versinken. Kaum eine Einzelheit bleibt bestehen. Alles löst sich allmählich auf.

Irgendwann ist es Zeit für die Abfahrt. Der Kutscher trägt einen schwarzglänzenden Zylinder, in dem man sich spiegeln könnte. Es ist ein kalter Septembertag, der Wind weht von Osten. Ihn fröstelt. Als das Schloß in Sicht kommt, überkommt ihn eine seltsame Übelkeit. Die Schloßfassade ist halb vom Nebel verschluckt. Es heißt, daß man in ihrer Nähe vorsichtig sein muß, da das alte Gemäuer mit der Zeit baufällig geworden ist. Erst kürzlich sollen zwei harmlose Spaziergänger von einem herabstürzenden Engelsflügel erschlagen worden sein.

Im Innenhof des Schlosses öffnet ein livrierter Diener den Wagenschlag, ein anderer macht die Andeutung einer Verbeugung. Ich bin nicht von Adel, denkt Hegel, vor einem Adeligen würden alle buckeln, als sei er geradewegs vom Himmel herabgefallen. Es geht durch eine lange Galerie, an deren Seiten unzählige verschlossene Türen lauern. Man könnte einen ganzen Stadtteil entvölkern und in den ungenutzten königlichen Gemächern logieren lassen, denkt Hegel. Dann ist ihm dieser Gedanke peinlich, und er verbeugt sich tief, als der vor ihm stolzierende Lakai den Zeremonienstab drei Mal auf das Parkett stößt.

Zwei Flügeltüren öffnen sich wie durch Geisterhand. Der König tritt hervor. Er ist kleiner, als Hegel ihn in Erinnerung hat. Er schaut etwas griesgrämig, kaum eine Spur eines Lächelns. Die Last der Jahre vielleicht, oder der Ekel vor all dem, was getan werden muß. Friedrich Wilhelm trägt eine Generaluniform mit einer purpurnen Schärpe, die sich breit über den Bauch spannt. An seiner Brust, auf der Höhe des Herzens, prangt der doppelköpfige schwarze Adler auf goldenem Grund.

Dieser Adler hat bemerkenswert groß geratene Klauen, und Hegel kann während des gesamten Gespräches, das kaum eine

Viertelstunde andauert, seine Blicke nicht davon abwenden. Während er vortäuscht, dem König zuzuhören, sucht er in seinem Gedächtnis verzweifelt nach jenem Adler, den sein Freund einmal besungen hat. Mit ihm hätte er besser sprechen sollen. Hölderlin. Der alternde Dichter in seinem Turm. Ein paar seiner Zeilen weiß er noch inwendig und sagt sie sich auf:

> *Der Urahn aber ist*
> *Geflogen über der See*
> *Scharfsinnend, und es wunderte sich*
> *Des Königes goldenes Haupt.*

Im Schlaf wird er mich heimsuchen, sagt sich Hegel, dort finde ich ihn bestimmt wieder. Da flüstert er mir zu, daß ich nichts weiter habe als Atem zu holen. Hegel gibt halblaut Antworten auf Fragen, die nicht gestellt worden sind. Der König hat jetzt auf einmal das Gesicht seines Freundes angenommen und lächelt von ferne ihm zu. Er verbeugt sich also vor dem König oder viel eher vor jenem unsichtbaren König, der über dem schwarzblauen Neckar sitzt und auf die Stadt schaut, das gedankenlose Treiben seiner Bewohner betrachtend.

Abermals klopft der Lakai mit seinem Stab aufs Parkett. Und die Tür öffnet sich wieder, zwei schwarze Gesichter erscheinen wie geschwärzte Vollmonde in den beiden Türrahmen, so daß Hegel erschrickt. Selbst am königlichen Hof scheint man nicht sicher zu sein. Schnell geht er hinaus, hinter ihm die Trippelschritte der beiden Livrierten.

In der endlos scheinenden Galerie erblickt er im Vorübergehen einen Mann, dessen Gesicht ihm bekannt vorkommt. Es könnte Humboldt sein, allerdings dessen jüngerer Bruder. Er trägt ein kleines ausgestopftes Krokodil unter dem rechten Arm, und schaut so vergnügt, als hätte er gerade vom Tod seines liebsten Feindes erfahren. Der jüngere Humboldt soll das gesamte Gebiet des südlichen Amerika bereist und kartographiert haben. Dabei sei er auch mit Menschenfressern in Berührung gekommen, die er in seinen Schriften als überaus sanftmütige und feinsinnige Wesen darzustellen weiß.

Jetzt ist der Ausgang erreicht, irgendein Haushofmeister, der nach Schnupftabak riecht, murmelt eine geschraubte Abschiedsformel und gleich darauf ist Hegel entlassen. In der Kutsche denkt er, daß alles vielleicht bloß ein Traum gewesen sein mag, eine aberwitzige Kopflaune. Aber das Holpern der Wagenräder auf dem Kopfsteinpflaster, die Kulisse der Wirklichkeit, welche an ihm vorüberzieht, läßt ihn anderes glauben. Wirklich ist das Unleugbare der Tatsachen, welche mit Händen zu greifen sind.

Und doch muß er innerlich einwenden, daß im Grunde nur das gilt, was sein könnte. Alles andere bleibt diesem untergeordnet. Was gedacht wird, ist das einzig Reale. Der Rest ist das Nichtige.

Er erreicht das Haus am Kupfergraben, als sich der Himmel plötzlich eindunkelt, und ein Platzregen losbricht. Gesichtslose Passanten ducken sich in Häusereingängen, oder tauchen wie graue Schemen unter.

Vollkommen durchnäßt betritt er kurz darauf die Diele und wird sogleich von Marie in ein geheiztes Zimmer genötigt. Da sitzt er für eine gute Stunde in seinem Lehnstuhl, betrachtet die Flammenzungen im offenen Kamin. Ein Spiel von unfaßbaren Gestalten.

Es gibt ein frühes Abendessen, bei dem auch die Kinder anwesend sind. Zum ersten Mal fällt ihm auf, daß Immanuel einen dunklen Flaum über der Oberlippe trägt. Der Junge schaut in seinen Teller und es entsteht eine Art Lächeln, als erblickte er in den Fettaugen der Suppe eine stille Erwiderung. Karl muß immerzu aufstoßen, was seine Mutter sehr ungerne hört. Außerdem hält er den Löffel umkrallt, als sei er die Waffe, mit der er zum Brudermord ansetzt. Susanna hat sich vor Kummer in den Daumen geschnitten und bleibt allein in ihrem Zimmer.

Nach dem Abendessen sitzt Hegel noch eine Weile mit Marie im Wohnzimmer, und läßt sie sprechen. Er hört nicht recht hin, schweift ab in Gedanken. Erst spät kommt er dann wieder zu sich, als sie ihn freundlich aber bestimmt zur Nachtruhe bittet. Im Bett verspürt er ihre Gegenwart wie ein zartes Gewicht, das an seine Brust geheftet wird. Es könnte der Orden eines fremden Königreiches sein, wo einem die Ehrenzeichen wie liebliche Nägel ins Fleisch gebohrt werden.

Es ist wieder das Schloß, das er nun aus dem Nebel auftauchen sieht. Doch über dem Schloß wölbt sich jetzt eine Kuppel, die von weißen Schleiern verhüllt ist. Die Pforte öffnet sich für ihn, und die langgestreckte Galerie erscheint ihm verzaubert: Ein zarter Wirbel von schneeweißen Federn bewegt sich darin, magisch angezogen von jener goldenen Tür am Ende des Raumes. Schwanenfedern, leichter als Wolken, taumeln vor seinem Gesicht. Eine kitzelt an seiner Nase, so daß er niesen muß.

Zu beiden Seiten der Galerie sind Spiegeltüren, die sich im Vorübergehen vervielfachen, und seine Gestalt tausendfach voraus- und zurückwerfen, bis er am Ende nicht mehr weiß, wer von diesen zahllosen Gestalten er in Wirklichkeit sei. Ein Gemurmel erhebt sich, ein Schwarm von halbausgesprochenen Wörtern. Er glaubt einen Bienenschwarm dicht hinter seinem Rücken zu spüren. Es ist ein Summen, das aus dem Abgrund kommt.

Jetzt beginnt er zu laufen, gerät aber dabei ins Stolpern und fällt der Länge nach hin. Das Summen ist plötzlich verstummt. Er hebt langsam den Kopf und sieht, wie die vergoldete Tür am Ende geöffnet wird. Aber der König, der jetzt in Erscheinung tritt, ist ein schwarzer König und er trägt eine Krone aus goldgesprenkelten Dornen. Er steht über einem Krokodil, dessen gepanzerter Rumpf mitsamt Schwanzwirbel sich um die nackten Füße des Königs ringelt. Figura serpentinata. Das Maul des entsetzlichen Tiers klafft sperrangelweit, als lauerte es auf seine Beute. Der Träumende möchte etwas sagen, aber seinem Mund entweicht nicht viel mehr als ein kraftloses Stöhnen.

Dafür öffnet der König jetzt seinen Mund und zeigt ein imposantes Halbrund von Zähnen. Was er damit nicht alles verschlingen könnte. Dann sprudeln die Worte wie Wasserperlen hervor:

Du bist spät. Ich hatte dich früher erwartet.
Im Kreis meiner Ratgeber gibt es einen, der immer einschläft
sobald dein Name genannt wird. Einmal, als ich ihn daraufhin ansprach,
sagte er mir, daß er nur einen einzigen kennte, der verstehen würde,

was du sagst – aber selbst dieser habe dich
nicht verstanden.
So ist die Welt nichts als ein Theater, in dem wir alle
mehr oder weniger schlecht spielen.
Es kommt also darauf an, was gespielt wird.
Es ist nämlich der Kopf, der uns verschlingen wird.
Wer ist der Autor unserer Gedanken, der Einsager unserer Worte?
Bevor ich König wurde, war ich
bloß ein Sklave meiner selbst. Ein Narr und ein Affe, der auf
meiner Schulter hockte und mir Törichtes einblies.
Wir sind Gejagte unserer Geister, ein Freiwild des flüchtigen Geistes.
Dieses Krokodil, auf dem ich jetzt stehe, ist jenes,
das einst auf der Insel Gamba inmitten des großen Sees
über den Geist und die Geister der Menschen herrschte.
Auf jener Insel gab es einen Tempel, wo ein Besessener
in Gedanken und Worten
Zwiesprache hielt mit dem Krokodilgeist.
Sein Mund öffnete sich langsam, wie das Maul des Krokodils,
blieb eine lange Zeit offen, bis die Schuppensprache der Echse
und das Gift ihrer Galle eingingen
in seine Worte. So sprach er also zum Volk. Und es lauschten
die Vielen, ohne ein Wort zu verstehen.
Als sich sein Mund wieder schloss, da wurde die Menge
ergriffen von einem Taumel der Sinne. Der Traum überkam
das Taghelle, zerriß das Gewand ihrer Vorstellungskraft.
Die Trommel erklang. Was du jetzt hörst, ist ein
mit den Ohren zu lesender Text.

Die Macht des Gottes
durchströmt alle Glieder. Sobek. Sobek Djedi.
Gepanzerter Herrscher über das Wasser, einer, der dauert,
dessen Stab in die Ewigkeit weist.

Darf ich auch einmal etwas sagen, fragt der Träumende. Keine
Antwort. Stattdessen richtet sich das Krokodil auf und reißt sein
zahnbewehrtes Maul sperrangelweit auf. Hervorpurzelt, mit einigem Getöse, ein Zwerg von höchstens ein Meter dreißig, ein kleines Faß, plattgesichtig, Strähnen von gelblichem Haar über der
wulstigen Stirn. Er trägt eine Art Paradeuniform mit scharlachfar-
bener Schärpe. Dazu grinst er so unverschämt wie ein angetrunke-
ner Dragoner nach Feierabend.

Dieser Winzling fällt zu Boden, rappelt sich auf, richtet um-
ständlich seine Uniform zurecht und plappert sogleich los:

Jetzt bin ich an der Reihe. Keine langen Reden, pflegte
mein Korporal zu sagen, wenn der Feind näher rückte
und irgendeiner der Unsrigen
noch ein Gebet sprechen wollte oder dergleichen. Gott hilft dem
Tapferen, und dem, der im richtigen Moment abtaucht.
Die anderen sollen bleiben, wo der Pfeffer wächst.
Recht gesprochen. Krokodile haben ein gutes Gedächtnis,
wußten Sie das?
Erinnern sich sehr genau an die gestrige Mahlzeit und
wissen zu unterscheiden
zwischen Gazellen- und Menschenfleisch. Menschenfleisch soll, so wird

gesagt, ein klein wenig süßlich schmecken,
wie in Milch getunktes Hühnchen.
Ich kann das weder bestätigen noch widerlegen. Auf einen Versuch
käme es vielleicht an. Aber es gibt keine Freiwilligen mehr. Schade!
Früher waren die Männer noch Männer.
Von den Frauen wollen wir schweigen, sie bleiben ja immer gleich.
Kaum ein Unterschied zwischen den Frauen der Antike
und denen von heute.
Kleopatra hat das gleiche Wesen wie Desdemona oder Susanna Tucher.
Womit ich keineswegs sagen will, daß sie ein- und dieselbe sind,
sondern bloß,
daß in ihren Adern dieselbe Verworrenheit zirkuliert.
Eine Art Widervernunft.
Keine Frau käme schließlich auf den Gedanken,
irgendwo auf Erden eine
Kolonie ihres Geistes zu gründen. Wer kennt aber die Insel Kalaurea?
Du vielleicht? Daß ich nicht lache! Es ist ja der Ort,
den kein Engel bewacht, wo es Wesen gibt, die nicht in die
Chamäleonsfarbe der Menschen getaucht sind.

Jetzt wächst aus dem Kopf des Zwerges noch eine andere Gestalt hervor. Was für ein Wunder gesprenkelter Schöpfung: Es ist
eine Frau, kaum größer als eine Fledermaus, doch so gescheckt wie
der vielfarbige Himmel, das gefleckte Vieh, die fehlfarbenen Flure
der Landschaft. Und sie breitet ihre winzigen Arme aus, als wollte
sie alles umfassen, und singt aus vollem Hälschen mit ihrer prächtig sich hochschraubenden Kopfstimme:

Was immer unstet ist, das ist ein Lob des Meisters, der in allen

und in allem verborgen ist. Ich bin sein erstes Geschöpf.

Einst hieß ich Lilith, dann Eva, danach Maria und so weiter und so

fort.

Immerzu wechselte ich Namen und Gestalten.

Eine Frau, die überall und nirgends zuhause ist. Stets auf der Flucht.

Nomadin des ersten Augenblicks, schon

als die Schöpfung den Atem anhielt, um zu staunen über sich selbst.

Jetzt hat es mir beliebt, aus dem Schädel eines Hofnarren zu springen.

Kopfgeburten haben den Vorteil, daß sie aus Träumen gekocht sind und

in Gedanken bewandert. Ein langer Weg liegt bereits hinter ihnen.

Sie brauchen nur noch ein wenig Würze

aus dem Wein einer fremden Denkweise.

Dann steht ihnen ein anderer Himmel offen. Sie sammeln sich

in Worten, die von Mund zu Mund gehen, die niemals festgehalten und

geschrieben werden, damit man sie schließlich vergißt. Es ist wahr:

Was erzählt wird,

das bleibt im Gedächtnis. Es hat eine Spur hinterlassen, dort,

wo die Namen sich tummeln, wo die Königstrommel aufruft zum

unheiligen Krieg. Ich aber werde erzählen, was wahr ist,

auch Falsches in Wahrheiten kleiden, und schließlich den Frieden

dir einsingen, deiner gebrochenen Seele Krücken fertigen

aus dem Holz des frischgeschlagenen Baobab.

Wer kennt nicht die Geschichte der Hyäne, die im spiegelnden Wasser

eines Flusses die eigene Häßlichkeit einsah? So sehr geriet sie

darüber in Zorn,

daß sie einen jungen Baobab ausriß und gen Himmel schleuderte,

um damit den Schöpfer zu treffen.
Er verfehlte aber sein Ziel, fiel wieder zur Erde herab, blieb
umgekehrt im Boden stecken und wächst seither mit seinen
Wurzeln nach oben.

Nein, schreit der Träumende, und sträubt sich mit Händen und Füßen gegen den Wortschwall aus dem Munde der vielgestaltigen Frau. Aber es hilft nicht. Sie öffnet wieder den honigfließenden Mund und hervorfliegt und taumelt ein Schmetterling. Urania ripheus. Der Regenbogenfalter, mit nachtschwarzen Flügeln und grün-bräunlichen Streifen auf der Oberseite seiner Flügel. Ausgehaucht, von den Sternen gefallen und auch auf dem Feld der verlorenen Ehre.

Jetzt sucht der Träumende sein Heil in der Flucht. Doch die Beine wollen ihm kaum mehr gehorchen. Er schleppt sich den endlosen Gang hinunter, vorüber an Spiegeln und Türen, Türen und Spiegeln. Die tausend Gesichter und Fratzen werfen ihn immer wieder zurück. Bis er am Ende stürzt und auf dem gewachsten Boden liegt, das wuchernde Mäandermotiv des Parketts unter sich. Und der Schmetterling läßt sich auf der rechten Schulter des Gefallenen nieder, faltet die Flügel zusammen, haucht ihm folgendes ins Ohr:

Einsam steh ich, und seh in die afrikanischen dürren Ebenen hinaus;
vom Olymp aber regnet es Feuer herab.

Die Worte vervielfachen sich in einem unaufhörlichen Echo. Aufschauend sieht der Träumende nun eine Kuppel über sich und zugleich wächst jener Baum, von dem die fledermauskleine Frau zu erzählen wußte. Der Affenbrotbaum. Schon erfüllt er das halbe Gewölbe mit seinen Zweigen und Wurzeln. Ein Ungeheuer der Natur. Und dieser Baum treibt seine Früchte und Blüten hervor. Es sind seltsame Gebilde: wie riesige Eier von bräunlicher Färbung. Sie hängen an langen und dünnen Fäden herab. Es scheint auch, als bewegten sie sich aus eigener Kraft. Eine der Früchte fällt herab und platzt auf: weißliches Fruchtfleisch, von Samenfäden durchzogen. Ein zarter Aasgeruch verbreitet sich. Und wieder hört er Schmetterlingsworte aufflattern in seinem Gehör:

Auch den Eispol hab ich besucht, wie ein starrendes Chaos
Türmte das Meer sich da schrecklich zum Himmel empor.
Tot in der Hülse von Schnee schlief hier das gefesselte Leben.

Der Baum hat nun die Kuppel durchbrochen und der malvenfarbene Himmel wird sichtbar. Ein Sonnenblick aus den Wolken: So keimt ein Lächeln hervor, aufbrechend die eherne Hülse des Traums. Alt ist der Träumende geworden. Es bleichte der Eispol ihn, und im Feuer des Südens fielen die Locken ihm aus. Kahl ist er, ein Mann, den die Zeit abgehärmt hat. Hinter dem Ofen sollte er sitzen, im Schein einer halben Kerze, die letzten Worte in eine Form fügen, die ihm ein anderer aufzwingt.

Es gibt einen Berg im Geheimen. Dort wächst eine Stille so lange, bis ihre Kristallwurzeln himmelwärts steigen. Aber in jenem, der träumt, ist die Leere, hoffnungslose Erwartung. Kein Hügel in ihm wächst ohne den Weinstock. Keine knospende Welt, die sich ans Licht windet. Und der Träumende sieht jetzt den Alten in seinem Himmelsturm:

Wenn aus dem Himmel das Falsche herabkommt, Geschrei, Gerede,
die widerwärtigen Bilder, deren verlogener Glanz, dann nennt mir,
was ich gerne versäumt habe, sagt, weswegen es eitel ist,
die Wörter in Sätze zu kleiden,
die niemand mehr tragen will. Meine Gedanken, du weißt es,
sind nicht zu ertragen. Deswegen leide ich, deshalb ist mir nur dürftiger
Schlaf gegeben und der Träume Übermaß im halbgeöffneten Auge.
Ich wollte doch immer Geschichten bilden aus jener
Lücke zwischen Wachen und Schlafen.
Da sind ungesehen die Schatten gewachsen, das Ungeheure aus dem
Mund eines Gottes. Dessen Namen weiß niemand. Einmal errichtete
man ihm einen Stein, stellte ihn in die Mitte des Marktes, damit alle den
Unsichtbaren sähen.
Und alle gingen daran vorüber.
Er aber hat mich geschlagen, seine Faust ist zugleich
die Kralle des Adlers.
Diese ergriff mich, als ich ein Knabe war, als ich noch heimisch war
zwischen den Träumen. Es war eine harmlose Zeit. Die Wolken zogen
leichter durch mich hindurch. Und der Adler hob auf, was ich bin,
trug meinen Körper der Sonne entgegen.
Dort, an einer Stätte des Lichts, sollte ich bleiben
für immer. Aber nichts entgeht dem neidischen Auge. Es gibt eine
Gegensonne, um die wir nicht wissen. Mächtig,
ein Zauber aus uralter Zeit. So

wuchs ich, ohne zu wissen wohin. Liebte das Schönste, wissend, daß es
nicht bleibt. Allein die Worte blieben mir treu, sie wuchsen mir
dichter ans Herz.
Bis eines ausbrach in mir, ein blühender Ausschlag, unstillbares Rot,
eine Krankheit der Seele. An ihr leidet mein Geist,
und mein Körper gibt seinen eigenen Schmerz noch hinzu.

Nichts ist leichter zu sagen als ein vergebliches Wort. Und sie vermehren sich, die unseligen Wörter, bilden eine Kette verlorenen Glücks. Die einzelnen Glieder sind die Momente, die jeder in seinem Herzen aufspart, um einmal, wenn es Nacht wird, sich daran zu sättigen. Jetzt ist nur noch Staub sichtbar, Farbstaub an den Flügeln. Es flattern die Flügel, die Fahnen, die einst für dich klirrten.

Der Himmel über der aufgebrochenen Kuppel wölbt sich ins Unsichtbare. Diese sternlose Nacht kennt kein Erbarmen. Der Mond hat sich selbst ausgetrieben. Kein weißer Fleck, der einem Heimat vorgaukeln könnte. Es ist die Stätte des Löwen. Hier haben die Urbilder Gestalt angenommen. Das Einhorn spricht zu der Jungfrau. Die Schlange kriecht aus dem abgeschlagenen Haupt ihres Dämons. Aus einem versteinerten Himmel fällt lautlos der Adler. Durch die Wüste tönt kündend die Stimme des Löwen.

Wer jetzt keinen Ort hat, wird ihn nicht finden. Wie ein Blatt, das vom Baum abgefallen ist, tanzt er noch eine Weile haltlos im Wind. Der Himmel ist eingestürzt und kaum einer hat es bemerkt. Die Übriggebliebenen sammeln sich zu einer letzten Begegnung. Worte verklingen. Kein Echo mehr. Dann ist alles vorüber.

Der Schmetterling faltet sich leise zusammen, sucht Unterschlupf unter der Zunge der Fledermausfrau. Diese hat eine Freude an der Umarmung mit jenem, der eine Schärpe trägt aus blutfarbigem Stoff, und einst davon träumte, ein Herrscher zu sein. Er wird es nie sein. Andere werden über ihn herrschen, wie etwa ein mächtiges Tier oder ein noch mächtigerer König. Von diesem aber, dem letzten, wollen wir schweigen.

Die sechste Nacht

El Coco. Die Kokosnuß oder der Totenschädel. Das Gespenst, der Kinderschreck, der schwarze Mann. Wer hat Angst vorm schwarzen Mann? Wenn er kommt, dann nehmen die Kleinen reißaus. Er wacht über den Schlaf und führt manchmal den ewigen mit sich.

Schlaf Kindchen, schlaf! Wenn du nicht einschläfst, kommt El Coco und frißt dich. Verschwinde Coco, verschwinde! Hinauf aufs Dach mit dir. Laß dem Kind seinen Schlaf, und jene Träume mir.

So klingt das Echo der Nacht. Humboldts verwachsener Schatten huscht über das totenbleiche Tuch. Ein kleiner Drache in seinem Gefolge. Jetzt sind die Augen halbgeöffnet und der Blick sucht seine Welt. Man sagt, daß es hilft, den Gespenstern in die Augen zu schauen: gleich zerfallen sie zu nichts.

So viel Unvertrautes zeigt sich nun im unverschämten Morgenlicht. Es ist nicht einzuordnen. Im Kopf noch das Gewimmel der Worte und Bilder. Es regnet Staub aus der Höhe. Dieser Staub kommt vom Schmutz. Eine falsche Kuppel, die einstürzt. Kaum noch zu retten die Trümmer, blendende Bruchstücke der Erinnerung. Gibt es ein Grab für diese verlorenen Schätze?

Und gibt es vielleicht Empfindungen jenseits der Wörter? Es müßte wie eine Erinnerung aus den frühesten Jahren sein, als das Kind noch nicht imstande war, Wörter und Sätze zu bilden. Damals schien alles übermächtiger Eindruck zu sein. Eine Welt der Überwältigung. Diese Bilder, die noch im Gedächtnis haften, sie sind Maschinen, um eine Hölle von Deutungen hervorzurufen.

Jetzt macht sich jemand an der Tür zu schaffen. Eine Art Klopfen, auch eine verhaltene Stimme. Maries Stimme vielleicht. Als sie jung war, sang sie stets vor sich hin. Kein Satz, der wie ein gewöhnlicher Satz klang. Alles war auf eine gewisse Weise Musik. Selbst wenn es um ganz einfache Dinge ging, fand sie eine Melodie für das, was ihr gerade einfiel. Die Kunst, alles leicht erscheinen zu lassen. So mag es im Anfang gewesen sein, als die Menschen noch auf der Suche waren nach einer verbindenden Sprache.

Diesen Gedanken müßte ich mir aufschreiben, sagt sich Hegel, der nun glaubt, daß er erwacht ist. Aber es fehlt immer am Notwendigen, wenn es darauf ankommt. Weder Bleistift noch Papier ist in Reichweite. Was geschrieben steht, das bleibt. Alles andere taucht unter. Taucht ab aus dem Bewußtsein, kehrt ein in das Dunkel, aus dem es herstammen mag. Das Gedächtnis hat seine Grenzen, die schwerlich zu überschreiten sind.

Von jeder Geschichte müßte man wenigstens den Anfang behalten, damit sich der Rest wieder beliebig anfügen ließe. So könnten immer neue Geschichten aus ein- und derselben entstehen. Eine Welt der Fragmente, deren Ausgangspunkt ein magischer Satz ist. Die Zauberkraft des Wortes, verfangen im Spinnennetz eines niemals zu Ende gebrachten Prologs. Das könnte das Ziel sein. Dann mag alles untergehen. Der Tod ist Anfang und Ende zugleich. Mit jedem der stirbt, verbrennt eine ganze Bibliothek.

Er dreht sich zur Seite, schaut auf den Boden, um seine Pantoffeln zu finden. Sie sind nicht zu sehen. Es sind die alten Filzpantoffeln seines Vaters, die dieser als letztes Geschenk von seiner Frau erhielt, zum Weihnachtsfest im Jahre 1798. Drei Wochen später starb er. Er trug diese Pantoffeln bis zuletzt und mochte sich kaum von ihnen trennen. Er hätte sich wohl gerne mit diesen Pantoffeln bestatten lassen, wenn nicht sein Sohn sich diese angeeignet hätte. Kurz vor seinem Tod sprach der Vater sogar mit ihnen. Er erzählte ihnen Geschichten, wenn er nicht gerade damit beschäftigt war, Zahlen eines ungeahnten Vermögens bis ins Unendliche zu multiplizieren.

Ein stolzer Schuh geriet mit einem gewöhnlichen Stiefel in Streit, und verstieg sich zu der Behauptung, sein Amt sei edler als das des Stiefels, weil man sich ja nur bei besonderen Gelegenheiten mit feinem Schuhwerk zierte. „Kein Ball, keine Aufwartung, kein Besuch bei Hofe", schrie er mit krächzender Stimme, „findet ohne mich statt! Du aber, du armer Stiefelteufel, dienst nur bei schmutzigem Wetter als gewöhnliche Fußbekleidung". Der gereizte Stiefel geriet in Rage, und verwies mit erhobener Stimme auf die goldenen und silbernen Sporen, die zu seiner Zierde ihm angeheftet würden. Schuh und Stiefel ereiferten sich also immer mehr, bis der Zufall einen schleichenden Pantoffel vorüber führte. Dieser hörte nur halb die Worte, die in dem Streit wie Funken durch die Luft flogen, und er rief mit glasklarer Stimme: „O ihr Eingebildeten! Was will Eure Macht gegen meine? Gelehrte, Philosophen, Künstler, Helden und Staatsmänner seufzen unter meiner Herrschaft. Eine Laune von mir läßt den Schuh nicht auf den Ball und den Stiefel nicht aus dem Haus".

Mit seinen Pantoffeln zu sprechen, das ist vielleicht der Anfang vom Ende. Das sagt Hegel halblaut vor sich hin, und merkt dabei nicht, daß Marie bereits im Zimmer steht. Sie betrachtet ihn mit schiefem Blick. Ist heute Freitag oder Samstag? An Freitagen gibt es bloß fünf Stunden Arbeit an der Universität, und am Samstag sind vormittags nur ein paar gesellschaftliche Verpflichtungen geplant. Kommt heute nicht dieser Wolters? Sein Vorname klingt irgendwie morgenländisch, liegt aber im Moment nicht auf der Zunge. Von dem heißt es, er habe die Absicht, irgendwo in den südlichen Breitengraden so etwas wie eine Gelehrtenrepublik zu gründen. Vielleicht der Traum eines Übergeschnappten, oder der Versuch, ein wenig Ordnung in das Chaos seiner freischwirrenden Ideen zu bringen.

Deutsch ist eine tote Sprache, denkt Hegel, man kann eigentlich nur darin *denken*. Eine deutsche Gelehrtenrepublik wäre ein äußerst gelungener Witz. Man braucht nur tonlos seine Lippen zu bewegen, und dabei ein kluges Gesicht zu machen. Zum Sprechen eignen sich andere Sprachen weitaus besser. Welcher Sprache bedienen sich emeritierte Gespenster? Gibt es eine Sprache der Nacktschnecken? Haben Zentauren einen poetischen Sinn? Sind Sprachbilder möglich, die man schmecken kann? Warum formt Marie die Wörter wie Kirschknödel in ihrer Mundhöhle?

Fragen, die zu stellen erlaubt sein muß. Welches Ministerium hat eigentlich die Hoheit über die gesprochene Sprache? Da müßte man vorstellig werden. Welche Sprache dort gesprochen wird, entzieht sich jedoch meiner Kenntnis. Wahrscheinlich die Beamtensprache. Diese muß freilich übersetzt werden. Die Beamtensprache in die gewöhnliche zu übersetzen, ist zweifellos auch eine Leistung. Wer aber fünf Jahre und sieben Tage nichts anderes getan hat, als mittelmäßige Verlautbarungen, Gesetze und Bücher zu übersetzen, der sollte Nachtwächter werden.

Und dann gibt es doch heute dieses unangenehme Treffen mit Rosenkranz, der kürzlich den wunderlichen Satz von sich gab, daß *das Wunder der Idee die Absolutheit der Erscheinung als Individuum in sich schließe.* Ansonsten gibt er sich gottesfürchtig, was auch sein Name bezeugen mag. Um dreizehn Uhr wollten sich die Herren treffen, zum Mittagessen. Rosenkranz mag gerne Koteletts mit Kartoffelgurkensalat, dazu eisgekühltes Bier. Er wischt sich den Bierschaum mit dem linken Hemdsärmel vom Mund, und schnauft auf eine sehr unangenehme Weise. Erst letzte Woche hat er davon gesprochen, man müsse aufgrund der gestiegenen Studentenzahl ein neues Lehrgebäude errichten, einen Annex zur Universität.

Ja, denkt Hegel, und wenn das Lehrgebäude errichtet ist, sollte man es augenblicklich niederbrennen. Was zu viel ist, ist zu viel. Es gibt sowieso bereits einen bedenklichen Überschuß an sogenannten Gelehrten. Ein neues Lehrgebäude würde das bestehende Mißverhältnis noch weiter verzerren. Wo kämen wir hin, wenn alle möglichen Leute die Universitäten bevölkern und ihre verqueren Gedanken wie Sauermilch feilbieten?

Nach dem Frühstück begibt er sich in sein Zimmer, setzt sich an den Schreibtisch und starrt auf ein weißes Blatt. Die Leere hat einen unvergleichlichen Reiz. Er würde jetzt gerne etwas malen. Die Feder zittert in seiner Hand, als wollte sie gleich Flügel bekommen. Alles beginnt mit einer Linie. Der Begriff der Linie ist, daß sie die schlechthin einfache Linie sei. Aus der Linie kann sich aber auch anderes herausbilden. Beispielsweise ein Kopf. Doch statt eines Kopfes gelingt immer nur ein Dreieck. Ist dieses Dreieck bloß die ins Auge fallende Zeichnung, sondern vielmehr *der Gedanke des Dreiecks?* Kann jener Gedanke Gegenstand der Zeichnung sein?

Diese Frage muß aufgeschoben werden. Das Papier wird zerfetzt, und zerknüllt in die Ecke geworfen. Da liegen die verworfenen Gedankenschnipsel. Wer sie aufhebt, der mag eine Herde von schwarzen Schafen des Geistes finden. Schafhirten haben den Trieb zum Unsteten, nomadisches Blut. Sie sind in Afrika und Asien zu finden, vielleicht auch in den beiden Amerikas. Was den alten Kontinent betrifft, so beschränkt sich das nomadische Element auf jene Randvölker im Osten Europas, die wohl aus Indien stammen, und deren Gesänge und Tänze eine Sehnsucht in sich bergen, die nicht zu heilen ist.

Ist es jetzt Zeit? Das erstarkte Morgenlicht kitzelt den kahlen Schädel. In einer Gelehrtenrepublik gäbe es keinerlei Zwang, schon gar nicht im Hinblick aufs frühaufstehen. Die Verfassung dieser Republik ist naturgemäß aristokratisch. Es wird niemals eine Gleichheit in Bezug auf das Vermögen des Geistes geben. Gott verteilt seine Gaben in dieser Hinsicht vollkommen ungerecht. Eine Gerechtigkeit in dieser Hinsicht menschlicherseits herstellen zu wollen, wäre nichts weiter als Frevel. Es ist nicht vorgesehen, daß alle dieselben Fähigkeiten der Vernunft besitzen. Einigen ist es vorbehalten, das denken zu müssen, was anderen immer verwehrt bleiben soll. Zweifellos ist das ein schreckliches Privileg.

Manche Gedanken sind schwarz wie der Abgrund. Einmal ausgesprochen, flattern sie wie aufgescheuchte Fledermäuse umher. Schlimmer noch verhält es sich mit dem geschriebenen Wort. Wer glaubt, es sei eine Dunkelheit des Ausdrucks, die zur grassierenden Seuche gerät, der soll das Denken und Büchermachen lassen. Die Bücher haben nämlich ihre Schicksale. Wir sollten uns vielleicht auf jene Bücher besinnen, von denen wir annehmen, daß deren Zeit vorüber sei: ein Heer von papierenen Gespenstern fiele über uns her. Nicht umsonst hat der erste Kaiser von China, ein gewisser Shi Huang Ti, einst befohlen, man solle sämtliche Bücher, in denen sich seltene und seltsame Gedanken regten, zu einem riesigen Stapel aufschichten und alsdann in Brand stecken.

Eine Fackel des Geistes. Sie leuchtet, wo keine Funzel mehr hinreicht. Einmal sah ich sie flammen in den Augen eines anderen. Er war mir der Liebste. Ich denke, er hat seinen Namen geändert und heißt jetzt, wie es ihm gerade beliebt. Es gibt eine Freiheit, von der die meisten nichts wissen. Das meint auch Marie, obwohl sie es nicht sagt. Es liegt ihr sozusagen auf der Zunge. Gerade verspeist sie ein weichgekochtes Ei, das noch vom Frühstück übrig geblieben ist. Ein Rest goldgelber Dotter klebt an ihrer Oberlippe. Kein Flaum ist zu sehen. Der Dichter aber hatte einen zarten Flaum auf der Oberlippe, einen lieblichen Schatten. Er schrieb, wenn es Abend wurde, hellsichtige Verse in ein schwarzgebundenes Heft.

Seine Schrift: Ein gerader und wohlgestalteter Fluß. In seinem Bett wäre ich gerne. Er hat Atem und Wohllaut, und all das, was ich verneinte zu sein. An einem Tag brach er auf in die Ferne und ließ mich zurück. Diese Wunde heilt niemals. Jetzt ist er frei in einem Turm, den sein Denken bewohnt.

Der Tag schreitet auf leisen Sohlen fort. Die Pantoffeln mit den Schuhen vertauschen, das Haus verlassen, in der halboffenen Kutsche über das Kopfsteinpflaster rollen, um schließlich an jenem wohlgefügten Steinhaufen anzukommen, der sich Museum nennt. Ein gewisser Schinkel hat es erdacht. Es ist noch nicht ganz fertiggestellt und in seinem halbvollendeten Inneren sollen Schätze verborgen sein. Diese hat man aus allen Ländern zusammengetragen. Einiges ist wohl auch Raubgut aus jenen Gebieten, welche sich die gefräßige Zivilisation untertan gemacht hat. Es soll insgesamt tausendzweihundert Artefakte in diesem Museum geben. Darunter stammt vieles aus der griechischen und römischen Antike, dazu die Gemälde der Sammlung Giustiniani, aber auch manches, was die versprengten Soldaten und Sendboten Kurbrandenburgs gegen Ende des 17. Jahrhunderts in Westafrika gefunden und von ihren Reisen nach Hause mitgeführt haben. Diese Stücke jedoch sind noch in den Magazinen und Depots des Schlosses Monbijou untergebracht, wo sie darauf warten, einmal hervorgeholt und betrachtet zu werden. Ein ungehobener Schatz.

Der künftige Direktor der Sammlung ist jener Konrad Levezow, der sich vor etlichen Jahren mit einer sagenhaften Stadt befaßt hat, die aus dem Meer aufgetaucht und dann wieder verschwunden sei. Vineta. In gewisser Weise ähnelt das Schicksal dieser Stadt dem jener Altertümer, die in den Kellern des Museums den Blicken der Welt entzogen sind. Etwas Untergegangenes. Ein unsichtbares Asyl für halbvergessene Dinge.

Levezow ist ein kleiner wendiger Mann, der trotz seiner fünfundfünfzig Jahre beneidenswert volles, dunkelbraunes Haar hat. Wenn er spricht, sind auch seine Hände beredt. Er kennt die Brüder Humboldt und weiß zu berichten, daß der ältere Humboldt es abgelehnt habe, die ethnographischen Objekte im Museum auszustellen. Dieses Museum, so Humboldt, solle allein der *hohen Kunst* gewidmet sein. Keine Trommeln, Speere, Throne und Masken, die gesammelten Kuriosa der afrikanischen Regionen. Während Levezow einen halbvollendeten Gedanken aus dem anderen hervorzaubert wie Tauben aus einem Hut, denkt Hegel darüber nach, was denn der *Begriff* der hohen Kunst sein könne.

Letztlich kommt er zu keinem zufriedenstellenden Schluß. Diese Sache ist nicht auszudenken. Das sagt er sich innerlich, während er später mit Rosenkranz im Restaurant Lutter & Wegner am Gendarmenmarkt sitzt und scheinbar dem Monolog seines Gegenübers lauscht. Was dieser nicht sagt, schwebt wie eine Federwolke über dem weißen Tischtuch. Dieses Ungesagte könnte aber der weinrote Fleck auf dem Tuch sein, der langsam die Form eines Kontinentes annimmt. Auf jener imaginären Karte müßten Orte zu finden sein, von denen noch niemand zu träumen gewagt hat. Die kleinen Blutspritzer darauf haben den Geschmack von altem Burgunder und verlorener Zeit. Rosenkranz sagt mit einem gewissen Behagen, während er einen Fleischfetzen sorgfältig zerkaut: „Ich sehe Hölderlin als einen prophetischen Menschen, ein echter

Geist, aber in vollkommen chaotischer Gärung. Deshalb mußte er untergehen."

Was für ein Narr, sagt sich Hegel, er sollte öffentlich ausgepeitscht werden für seinen gesammelten Unsinn. Es gibt keine Propheten in diesen entsetzlichen Zeiten. Es gibt nur einen Dichter, der sich verbirgt. Keinen anderen Grund hat er als einen Schmerz zu bemänteln, der durch ein halbes Lächeln verursacht ist.

Jetzt kommt der Kellner. Diese Sorte von Leuten kommt stets im unpassenden Moment, wedelt dann mit einer verdächtig fleckigen Serviette und macht Anstalten, die Gäste auf halbwegs vornehme Weise zu vertreiben. Wahrscheinlich kommt irgendein Hochgestellter mitsamt seinem Anhang und der Tisch muß für sie bereit sein. Rosenkranz wägt jede Münze in seinen Händen, ehe er sie abgezählt an den Kellner weiterreicht. Eine Münze entgleitet ihm, und fällt zu Boden. Das abgenutzte Konterfei des Königs, in Silber geprägt. Er lächelt nicht. Er hat nichts mehr zu lachen.

In der Kutsche riecht es nach vermodernden Äpfeln und Pferdeschweiß. Immer noch spricht Rosenkranz, und jeder seiner gewundenen Sätze ist nun ein Atemwölkchen in der herbstlichen Luft. Er läßt sich bis zur Universität bringen und steigt vor dem Haupteingang aus. Zum Abschied verbeugt er sich, als habe er für etwas zu danken. Er ist und bleibt ein gelehrter Trottel, der alles überliefern wird, das Nichtige zuallererst.

Zuhause ist ein Wort, das einem schwer über die Lippen kommt. Als er im fremden Zuhause ankommt, ist Marie damit beschäftigt, mit der Aufwartefrau ein Gespräch über die Vorzüge frisch geputzter Fensterscheiben zu führen. Die Aufwartefrau, deren Namen Hegel wieder nicht einfallen mag, nickt dazu unentwegt wie ein denklahmes Kind. Sie nestelt unterdessen an ihrem Ausschnitt, als fürchtete sie, jemand könnte sehen, was vollständig verborgen ist. Der Busen, schreibt Novalis, ist die in Geheimniszustand erhobene Brust. Ein Narr, der Übles dabei denkt. Und der Nachmittag taucht klaglos in den Abend hinab.

Er hat keinen Hunger. Er hat keinen Durst. Verspürt eine Leere, die in ihm heraufkriecht wie ein unendlicher Wurm. Die Zeit dehnt und streckt sich nach ihrem Belieben. Vielleicht ist sie ein Körper, den niemand zu lieben versteht. An einem bestimmten Punkt wird das Gefühl der Müdigkeit übermächtig. Blei, das in den Adern schwimmt. Der Übergang zwischen Wachen und Schlaf hat keine bestimmte Dauer. Es ist ein Nebel zwischen den Dingen der sichtbaren und der unsichtbaren Welt.

Jener Nebel aber lichtet sich in dem vom Himmel tauenden Traum. Graureiher segeln in der welken Luft. Auch Schwalben taumeln in der Höhe, trunken vor Glück. Der Träumende sieht einen Ungerechten näherkommen. Es ist ein kleiner Mann in Uniform, der langsam die sieben Treppen hinaufsteigt, welche zum Eingang eines Schlosses hinaufführen. Der Mann hält einen Zweispitz unter seinem rechten Arm geklemmt, als müsse er sich an diesem festhalten. Oben angelangt, hält er einen Moment inne. Dann öffnet sich die Flügeltür zu einem Salon, in dem ein kleines Mädchen Ball spielt. Die ganze Welt ist verloren in diesem Spiel. Das Mädchen hält plötzlich inne und fragt den Eintretenden:

„Wer bist Du?"

„Ich bin der Kaiser."

„Welcher Kaiser? Ich kenne nur einen König, und der ist geflohen."

„Wahrscheinlich vor mir. Die meisten fürchten mich, ohne zu wissen warum."

„Das ist schade", sagt das Mädchen und verzieht sein Gesicht.

Der Kaiser betrachtet das Mädchen eingehend. Es hat Wimpern, so lang wie ein unerfüllter Traum. Das Mädchen erinnert ihn an seine Schwester, die es liebte, an geheimen Orten nackt schwimmen zu gehen. Er sagt zu dem Mädchen:

„Ich hatte einmal eine Lieblingsschwester, die sich im Mondlicht badete. Pauline. Als sie dreizehn Jahre alt war, mußte sie fliehen. Einige Jahre später schickte ich sie mit ihrem Mann nach San Domingo, damit sie dort in meinem Namen einen Aufstand schwarzer Sklaven unterdrücken sollten."

„Es gibt hier einen Schwarzen, der in einem Automaten verborgen ist", erwidert das Mädchen. „Soll ich ihn dir zeigen?"

„Die meisten Menschen verbergen sich in irgendeinem Automaten", entgegnet der Kaiser. „Das ist eigentlich nichts Besonderes."

„Dieser Schwarze *ist* etwas Besonderes", betont das Mädchen mit einigem Nachdruck. „Er spielt nämlich besser Schach als alle anderen. Man könnte sogar sagen, er ist der beste aller Schachspieler."

„Lügst Du mich etwa an?"

„Das würde ich niemals wagen", erwidert das Mädchen. „Lügner werden nämlich gefressen. Es kommt ein schwarzgekleideter Mann aus dem Nichts und frißt dich mit Haut und Haar..."

„Ich denke, man sollte sich diesen besonderen Schwarzen einmal anschauen", sagt schließlich der Kaiser.

Das Mädchen strahlt, als hätte es einen Glücksring gefunden. An der Hand des Mädchens gelangt der Kaiser in eine halbdunkle Abstellkammer, in der es süßlich nach halber Verwesung riecht. In einer Ecke steht wirklich jener Automat, von dem das Mädchen erzählt hat. Derselbe besteht aus einer sitzenden Figur in morgenländischer Gewandung, die das Gesicht des Träumenden hat. Diese Figur ist aus Holz gefertigt und in leuchtenden Farben gefaßt. Sie wirkt so echt, daß man glauben könnte, daß sie ein lebendiges und beseeltes Wesen sei. Die Figur, in der sich der Träumende wiedererkennt, sitzt auf einem niedrigen Hocker, der mit goldenen Mäandern und smaragdfarbenen Schlangenwesen geschmückt ist. Unmittelbar vor dem Sitzenden steht ein quadratischer, blockartiger Tisch, auf dem sich ein Schachbrett befindet. An dessen linker Seite erkennt man eine kleine Tür mit einem winzigen Griff. Noch ehe der Träumende etwas laut zu denken wagt, öffnet sich der Mund des Schachspielers: „Es wird Zeit, daß wir mit dem Spiel beginnen. Nehmen Sie Platz, Majestät!

„Ich habe Wichtigeres zu tun", entgegnet der Kaiser. „Es gibt so viele Kriege, die noch geführt werden müssen."

„Dieser hier ist der edelste", erwidert der Schachspieler. „Es geht um das reine Denken, die Wissenschaft der Logik."

„Was ist Logik", fragt das Mädchen.

„Ein Mann sitzt auf einem Hügel, ein schroffer Stein zu seinen Füßen. Vier Berge sieht er vor sich in der Morgendämmerung aufscheinen. Sie haben die folgenden Namen: Alles, Nichts, Jemand,

Niemand. Zwei Hunde, einer häßlich, der andere schön, jagen einen Hasen. Es kommt ein Mann mit einem Schwert, mit dem er alles zu teilen vermag. Das Schwert ist das richtige Denken."

„Das gefällt mir", sagt der Kaiser. „Wer dieses Schwert besitzt, der hat nichts zu befürchten. Ich gäbe ein Königreich für dieses Schwert."

„Wenn du gegen mich gewinnst, so ist es dein, antwortet der Schachspieler."

Ein purpurroter Sessel wächst aus dem Boden heraus und der Kaiser nimmt darauf Platz. Das Spiel beginnt. Der erste Zug liegt beim Kaiser, der einen Bauern vorschickt. Der Schachspieler wiegt den Kopf langsam hin und her, bevor sein hölzerner Arm ausholt und eine Figur nach der anderen auf dem Spielfeld hin und her bewegt. Auffällig ist, daß er mit seiner linken Hand spielt und daß seine Bewegungen das genaue Spiegelbild der Bewegungen des Kaisers darzustellen scheinen, wobei die Zeit der Überlegung um einige wenige Sekunden länger andauert als die seines Gegenspielers. Dabei fällt zusätzlich auf, daß die Bewegungen des Schachspielers nach einer gewissen Zeit sich denen seines Gegenübers vollkommen angleichen, gerade so, als brauchte er eine vorbestimmte Zeit, um dasselbe Regelmaß der Motorik herzustellen. Es dauert kaum zehn Minuten, und der Kaiser ist schon besiegt. Seine Dame mußte er opfern, aber es ist kein Kraut gewachsen gegen die überlegene Denkkunst des Schachspielers. Des Kaisers Gesicht färbt sich rötlich in unterdrücktem Zorn.

„Was ist dein Geheimnis", sagt er mit erhobener Stimme, „ein Automat kann doch gar nicht denken!"

Ein Schattenlächeln entsteht im Gesicht des Schachspielers. Es ist nicht wirklich und hat doch einen gewissen Zauber. Man möchte einen Abguß davon machen und für eine gewisse Ewigkeit ausstellen.

„Mein Geheimnis ist, daß ich bin, was ich bin. Weißt du, was du verlieren wirst, wenn du verlierst?"

„Nicht die leiseste Ahnung", flüstert der Kaiser.

„Man wird dich fortschicken, aus deinem Land vertreiben, dorthin, wo keine Götter mehr über dir wachen. Es ist eine karge Insel, die den Namen der Mutter eines Kaisers trägt. Tausendfünfhundert Kilometer von den Küsten Afrikas entfernt. Es gibt keine größere Einsamkeit, die sich denken ließe."

„Ich werde also allein sein."

„Du wirst dir selbst begegnen."

Das Mädchen tritt näher an den Automaten heran, weil sie wohl etwas bemerkt hat. Der winzige Griff an der kleinen Tür, die in den Spieltisch eingelassen ist, scheint sich zu bewegen. Jetzt geht tatsächlich das Türchen auf: Hervortritt, mit einigem Stolz, ein imposanter Winzling, der dem Scardanelli der ersten Nacht zum Verwechseln ähnlich sieht, bloß einen guten Meter kleiner. Dasselbe barocke Gewand, der kräftige Körper in dieser prächtigen Hülle, das schwarze Gesicht mit seinem bewegten Mienenspiel unter dem kanariengelben Dreispitz. Jetzt lüftet er diesen, einigermaßen geziert, und verbeugt sich, genau wie es das höfische Zeremoniell vorsieht. Ist *er* das Gehirn jenes Schachspielers?

Das Mädchen kommt noch näher heran, und steht jetzt kaum eine Handbreit von dem merkwürdigen Wesen entfernt. Das Mädchen ist einen Kopf größer als diese Erscheinung, und es scheint, als hätte sie gleich Vertrauen zu ihm gefaßt. Sie beugt sich ein klein wenig herab. Nicht zu sehr, weil es ja auch herablassend wirken könnte. Dann flüstert es: „Ich habe dich schon einmal gesehen. Es war im Traum. Durch eine verschlossene Tür kam ein schwarzer König herein. Er lächelte, so wie mein Vater lächelte, wenn er von der Jagd heimkehrte, und kein einziges Tier erlegt hatte."

„Du hast Recht. Einmal war ich ein König. Doch man hat mir die Krone geraubt. Es kamen Männer aus fernen Ländern, die haben mein Land in ihren Besitz genommen."

„Und du hast dich nicht gewehrt?"

„Es hätte alles noch schlimmer gemacht. Sie hatten Waffen, die wir nicht kannten. Gewehre und Kanonen. Was hilft da ein Speer oder ein ungeschliffenes Messer? Ihre schärfste Waffe aber war ihr Verstand. Erst waren es nur wenige, dann kamen immer mehr. Es gefiel ihnen, unsere Länder und Schätze an sich zu reißen. Auch ich wurde geraubt, in Ketten geworfen und verschifft wie das Vieh."

„Wohin hat man dich gebracht?"

„Bis zu diesem Ort. Es ist kalt hier. Ich muß immerzu frieren. Es gibt keinen kälteren Ort auf der Welt."

„Wenn ich könnte, würde ich dir einen Sonnenstrahl schenken. Ein wenig Licht, das dein Herz wärmt."

Das Mädchen beugt sich jetzt tiefer herab und berührt vorsichtig den Scheitel des schwarzen Königs. Sachte, doch nicht zu sehr.

„In deinem Haar ist die Sonne gefangen."

„Als die fremden Männer mich in Eisen legten, haben sie mich zuerst an den Haaren gezogen, ehe sie mir die Kleider vom Leib rissen und mich verspotteten. Dann wurde ich mit hundert anderen in einen finsteren Keller gesperrt, wo wir drei Tage und drei Nächte zubringen mußten. Es war heiß und stickig darin. Eine Luft zum Zerschneiden."

„Warum haben sie das getan?"

„Was fragst du mich? Es waren die anderen. Sie haben nie gesagt, was sie im Sinn hatten. Etwas Ungeheures trieb sie an."

„Und wie bist du hierhin gekommen?"

„Das ist eine lange Geschichte. Es kam ein Mann, der nach Branntwein roch und der mit den Sklavenjägern gemeinsame Sache machte. Er handelte nämlich mit Menschen."

„Was ist ein Sklavenhändler?"

„Jemand, der Macht hat über die Körper der Menschen und diese zu klingender Münze macht. Es gibt viele davon. Sie alle haben ihr Herz gegen einen Goldklumpen eingetauscht."

Der Kaiser räuspert sich, erst leise, dann ein wenig lauter. Es scheint so, als habe er etwas zu sagen.

„Ich glaube diesen Mann zu kennen. Zumindest vom Hörensagen. Einer meiner Generäle sprach in höchsten Tönen von ihm. John Cunny oder so ähnlich. Der schwarze Preuße. Er soll vor hundert Jahren die gesamte westafrikanische Küste in Angst und Schrecken versetzt haben. Ein toller Kerl, mit allen Wassern gewaschen."

„So kann man es auch sehen", erwidert der schwarze König. „Ich spüre noch seine Peitsche auf meiner Haut brennen. Wenn er voll war, ließ er alle für sich tanzen, so lange, bis sie tot umfielen."

„Er wird wohl seine Gründe gehabt haben", entgegnet der Kaiser. „Widerstand ist eine Sache, die von der Wurzel her behandelt werden muß."

Der Schachspieler rollt mit den Augen, so lange bis nur noch das schiere Weiß darin zu sehen ist. Eine andere Geschichte zeigt sich im Nichts. Ein Drama, das niemals zu Ende geschrieben ist. Wer aber weiß seinen Anfang?

Der Kaiser fällt wie eine tote Puppe in sich zusammen. Es war wohl nur eine Marionette, an unsichtbare Fäden geknüpft. Das Mädchen zupft dem am Boden Liegenden am Ärmel, doch er rührt sich nicht mehr. Mausetot scheint er zu sein. Ein vom Thron gestürztes Mirakel. Kein Vorhang fällt. So gehen dunkle Märchen zu Ende.

Jetzt ist der Schachspieler wieder am Zug. Zunächst rollt er mit den Augen, während seine Lider und die Augenbrauen völlig unverändert bleiben. Er wiegt dabei seinen Kopf, mal zur linken, mal zur rechten Seite, bevor er mit einer seltsamen Sandpapierstimme „Schach" sagt. Dann klappt sein Mund halb auf und es formen sich Worte und Sätze. Während er spricht oder zu sprechen scheint, bewegt der schwarze König lautlos seine Lippen.

„Jetzt ist niemand mehr da, der gegen mich gewinnen könnte. Es wäre ohnehin nicht möglich. Mein Geist reicht überall hin. Er ist in gewisser Weise absolut."

„Kein Wort davon ist wahr", sagt eine Stimme, welche die Stimme des schwarzen Königs sein könnte.

Aber wer weiß das mit Bestimmtheit zu sagen? Wer die Lippen bewegt, kann stumm sein, oder auch nur das von sich geben, was andere ihm eingesagt haben. Wer vermag schon, ins Innere zu schauen, in einen Schädel, ins Herz oder sogar in das Innere eines Automaten? Wer weiß, ob nicht im Automaten selbst noch eine Art Seele verborgen ist, von der wir nichts ahnen können.

Es ist besser, die halbe Wahrheit zu kennen als gar keine. Niemand weiß um das Geheimnis der Dinge, die nicht zu erklären sind. Finstere Scherze, Launen und Einfälle der Nacht. Es gibt so viele Gesichter, die kein Spiegelbild besitzen. Eine Aureole von seltsamen Köpfen, die ein vereinsamtes Haupt umgeistern. Jene Gesichter aber führen ein Leben jenseits der üblichen Ordnung. Die Namen werden ausgelöscht sein. Ein Name, der nicht ausgesprochen wird, bleibt aber dennoch ein Name. Ein Name, der geträumt wird, behält dennoch seine Kraft.

Wir gehen von einem Raum in den anderen. Die Türen öffnen sich, ohne daß ein Türgriff berührt wird. Vom Wind aufgestoßen, oder von einer Kraft bezwungen, die vom Gedanken herstammt. Es gab einmal einen Feldherrn, den die Leidenschaft aufstachelte, dorthin zu gehen, wo niemand ihn kennt, doch alle ihn fürchten. Dort wäre er Jemand, dessen Name für sich spricht.

Africanus. Die Eisenstange. Jemand, der sich anschickt, einen Kontinent zu erobern, im Namen einer Macht, die wie ein Krake in die Welt hinausgreift. Scipio Africanus. So könnte jener heißen, der ich zu sein vorgebe. Ein Mann aus einem Land, das die Ferne heimsucht. Und zugleich auch Jemand, der träumt, daß er ein anderer sei. Jener Träumende aber sagt zu mir:

Ich merke wohl, daß du immer noch den Wohnsitz und die Heimat der Menschen betrachtest. Erscheint dir diese so klein, wie sie wirklich ist, so halte deinen Blick nur immer hierher, auf das Himmlische, gerichtet; und verachte jenes Irdische. Denn welche Verherrlichung deines Namens kann dir das Gerede der Menschen verschaffen, oder welchen wünschenswerten Ruhm?

Du siehst, wie wenig zahlreich und wie schmal die bewohnten Räume auf der Erde sind, wie selbst zwischen den bewohnten Erdflecken große öde Strecken liegen, und daß die Bewohner der Erde selbst nicht nur so voneinander getrennt sind, daß die Einen von den Andern gar keine Nachricht bekommen können, sondern daß sie im Verhältnis zu euch teils schräg, teils quer, teils mit den Füßen euch entgegengekehrt auf ihrem Boden stehen, bei denen berühmt zu werden ihr doch wahrhaftig nicht erwarten könnt.

Nun so strebe denn weiter, und wisse, daß nicht du sterblich bist, sondern nur dieser Leib.

Denn nicht bist du es, den diese Leibesgestalt vor die Sinne stellt, sondern eines Jeden Seele ist sein Ich, und nicht die Figur, auf die man mit dem Finger zeigen kann.

Wisse, daß du ein Gott bist, wenn nämlich ein Wesen Gott ist, das lebt, empfindet, zurückdenkt, vorwärts in die Zukunft sieht, und ebenso den Körper, über den es gesetzt ist, regiert, und lenkt und bewegt, wie jener höchste Gott diese Welt: so nämlich, wie die in gewisser Hinsicht sterbliche Welt der ewige Gott in Bewegung erhält, so die ewige Seele den zerstörbaren Körper.

Denn was immer sich bewegt, ist ewig. Was aber ein Anderes in Bewegung setzt, und selbst wieder von anderswoher in Bewegung gesetzt wird, das muß, sobald seine Bewegung aufhört, auch zu leben aufhören.

Der Anfangspunkt aber hat keinen Ursprung; denn aus ihm entspringt ja Alles, er selbst aber kann seine Entstehung aus keinem andern Dinge habe. Denn das wäre ja nicht der Anfangspunkt, was anderswoher entspränge; und entsteht er nie, so geht er auch nie unter.

Es muß also der Anfangspunkt der Bewegung von Dem ausgehen, was in sich selbst die Ursache seiner Bewegung hat: das aber kann weder geboren werden noch sterben, sonst müßte notwendig der ganze Himmel zusammenstürzen, und die ganze Natur stille stehen, und könnte gar keine Kraft bekommen, durch deren ersten Anstoß sie in Bewegung geriete.

Da nun also klar ist, daß das ewig ist, was durch sich selbst bewegt wird, wer möchte leugnen, daß die Seelen ihrer Natur nach Wesen dieser Art seien? Denn unbeseelt ist Alles, was durch einen Stoß von außen in Bewegung gesetzt wird. Was aber lebend ist, das wird durch innere und eigene Bewegung angeregt: denn das ist die eigentümliche Natur und Kraft der Seele. Ist sie aber unter allem was da ist, es allein, die sich selbst bewegt, so ist sie natürlich nicht entstanden, und ewig. Diese übe du denn in den edelsten Bestrebungen. Die edelsten aber sind die Bemühungen um das Wohl deines Landes. Mit diesen beschäftigt, und diese zum Ziele seiner Anstrengungen machend, wird die Seele schneller in diesen ihren Wohnsitz und ihre Heimat sich aufschwingen können. Und umso rascher wird sie dies tun, wenn sie schon, so lange sie im Körper eingeschlossen ist, hinausstrebt, und das, was außer ihr ist, betrachtend, so sehr als möglich vom Körper losreißt.

Denn die Seelen derjenigen, die sich den Lüsten des Körpers ergeben, und sich gleichsam zu dessen Dienern hergegeben haben, und die, wenn die Begierden sie stachelten, der Sinnenlust frönten, göttliche und menschliche Rechte verletzt haben. Dieselben schweben, wenn sie aus den Körpern heraus sind, immer noch um die Erde, und kommen erst, nachdem sie viele Jahrhunderte umhergetrieben worden sind, hierher zurück.

Er schied, und ich erwachte.

Die siebte Nacht

Er scheidet und der Andere erwacht. Es steht ja alles längst in einem Buch geschrieben. *Scipios Traum,* wie ihm im Erwachen bewußt wird. Das Werk eines Autors, dessen Name am Ende auf einer Todesliste stand. So ergeht es dem, der blindlings seiner Wahrheit folgt.

Ein Jahr nach der Ermordung Caesars nahmen ihn seine Gegner gefangen. Sie töteten ihn, verstümmelten seinen Leichnam und schleiften jenen furchtbar geschändeten Körper durch die Straßen von Rom. Sein Kopf und seine Hände wurden abgeschlagen und an ein Rednerpult genagelt. Seine Zunge wurde mit einer Haarnadel durchbohrt. Dies ist der Tod eines Mannes, den seine eigenen Worte vernichteten.

All dem muß ein Ende bereitet werden. Es ist sonnenklar: Der Traum der Vernunft läßt Ungeheuer entstehen. Der träumende Autor, dessen einzige Absicht es ist, verfehlte Gedanken und schädliche Gemeinplätze zu verbannen und mit seinen Einfällen ein bleibendes Zeugnis der Wahrheit abzulegen. Um dieser Wahrheit willen läßt er zu, daß ein Strahlenkranz von Gesichtern aus einem einzigen Haupt entspringt. Plötzlich erscheint alles in fremdartigem Licht. Eine Art Aufklärung. Doch diese Aufklärung ist nicht viel mehr als eine mythische Angst vor dem, was nicht zu sagen ist.

Wir sagen also den Bildern den Kampf an. Auch in den Worten sind sie versteckt, selbst in den Zwischenräumen der Sprache. Der Mund füllt sich mit anderem Sinn. Sprachbilder sind falsche Propheten, Wahnwitz, in Sätze gekleidet. Es gilt, diese Sätze zu zerkauen, bis nur noch winzige Fetzen davon übrig bleiben, welche sich zwischen den Zähnen festsetzen, faulig und stinkend.

Jemand tritt an das Bett und spricht ihn an. Er weiß nicht, wer es sein könnte. Seine Stimme klingt wie durch Watte gesprochen. Er kennt diese Stimme nicht. Es ist ein Jemand, der nur einen Umriß besitzt, doch keine Form. Eine Art Schattenzeichnung. Flügellose Gestalt.. Manche Wesen erheben sich niemals über sich hinaus. Und außerdem kommt ihm dieses Zimmer befremdlich vor. Es ist gar nicht seines. Eine enge Stube, in der es nach moderndem Kartoffeln riecht. Und das Bett ist eng und hart, das Kissen trüb von Schweiß und Tränen.

Wie schwer die Lider geworden sind, gewichtige Vorhänge, welche die Welt verstellen. Es ist kaum mehr möglich, daß sie sich heben. Und innen lauert ein anderes Gesicht. Eine Fratzenwelt, in der es heimlich und unheimlich zugeht. Wer Gesichter schneidet, verliert am Ende seine eigenen Züge. Das Ideale löst sich in seinem Abgrund auf. Selbstverneinung.

Jetzt weiß er, wer es sein könnte. Ein anderer Arzt. Ein noch schlimmerer. Überhaupt sollte man Ärzten stets mit dem größtmöglichen Mißtrauen begegnen. Es sind schließlich die Sendboten des Todes. Sie wissen meist keinen Rat und ihre Arznei ist die bit-

111

tere Leidensverkündigung. Einmal hat er diesen jüngeren Arzt an der Seite seines Kollegen gesehen. Der älteste Sohn hatte ein Furunkel an der linken Fußsohle und konnte sich deswegen nur noch mit Mühe und unter großen Schmerzen bewegen. Jener Arzt kam, sah das Übel und besiegte mit seiner Diagnose jegliche Hoffnung.

Das Furunkel, so denkt Hegel, ist auch als eine Art metaphysisches Unbehagen zu verstehen. Der körperliche Schmerz hat ja die Funktion eines sozusagen unheilbaren Problems. Daß dieses irgendwann den Tod im Gefolge haben könnte, ist kein Naturgesetz, sondern die Folge einer vertrackten und unerklärlichen Zerrüttung des Geistes.

Auf das Erwachen folgt stets die Ernüchterung. Die Welt ist nichts weiter als ein Haufen Kehricht, den wir vergebens aufwirbeln. Laßt mich weinen darüber. Tränen beleben den Staub. Das schrieb ein Weiser aus dem Morgenland, und ein anderer Dichter sagte es nach. Wer war es? Goethe vielleicht.

Es gibt ihn ja immer noch, diesen Weimarer Hofprediger, der all seine Gedanken in Sentenzen ummünzt. Wann habe ich ihn das letzte Mal gesehen? Es war wohl im Spätherbst, vor zwei oder drei Jahren. Ich war auf dem Rückweg von Paris, und berichtete dem greisen Dichter über die politische Lage in Frankreich. Die Sonne ging schon unter. Der alte, etwas taube Großherzog von Weimar kam später auch dazu, und ich mußte zwei oder drei Stunden wie festgenagelt auf dem Sofa aushalten, während die Konversation ihren üblichen Gang nahm. Die Pflicht, einem Großen begegnen und zuhören zu müssen, während andere es durchaus mehr wert wären, gehört zu werden.

Marie wird wieder unruhig. Meist dann, wenn ihr etwas ganz und gar nicht behagt, gleicht ihre Stirn einer Mondlandschaft: Verworrene Linien, Krater und Hügel, von lauter müßigen Sorgen erschaffen. Man möchte das Leiden ausmerzen mit einem Federstrich Sie sagt flüsternd: „Er muß das Zimmer mitten in der Nacht verlassen haben, ist dann im Haus herumgetappt und hat sich schließlich ins Mägdezimmer gelegt. Ein Glück, daß Christina nicht da ist." Links und rechts von ihr stehen die beiden Doktoren, lauschend, beide mit verrutschtem Zwicker, da das Augenlicht vom vielen Zwinkern schon nachläßt.

Sie tauschen sich flüsternd aus, die beiden gelehrten Affen, und runzeln dabei die Augen, als hätten sie etwas Empörendes vor sich. Dabei ist alles so einfach. Die Morgensonne erfüllt nun das kärgliche Zimmer, und er hört das Geschepper von Tassen und Tellern. Das Frühstück wird zubereitet. Ein morgendlicher Duft verbreitet sich. Der Kaffee, so hat er kürzlich erfahren, kommt aus Afrika, aus einem Landstrich, den man die Elfenbeinküste nennt, weil von dort alles Wertvolle verschifft werde: Elfenbein, Löwenfelle und – zähne, Pfeffer, Kaffee- und Kakaobohnen, aber auch Sklaven, die man in ihrer kapitalisierten Gesamtheit mit dem merkwürdigen Ausdruck *schwarzes Gold* belegt. Die Herren werden zu Knechten, indem sie ihre Herrschaft entfalten. Wer nämlich über andere bestimmt, hat einen großen Nachteil: Er wird keine Anerkennung erfahren.

Die Sklaverei kann, sofern man sie von einem theoretischen Standpunkt aus betrachtet, als der einzige wesentliche Zusammenhang zwischen den Europäern und den Menschen und Völkern

Afrikas angesehen werden. Da die dortigen Könige selbst mit viel Herzblut ihre Feinde unterjochen und versklaven, also ihren eigenen Leuten dieses vorzügliche Unrecht antun, ist daraus zu schließen, daß sich ihre Erziehung und ihre sittliche Bildung noch nicht zum Bewußtsein der Freiheit hin entwickelt haben. Eine sofortige Aufhebung der Sklaverei wäre daher nicht ratsam, sondern weitaus besser wäre deren allmähliche Abschaffung.

Doch als die Sklaven von Santo Domingo im dritten Jahr der Revolution gegen ihre weißen Herren revoltierten, da ging ein kleiner Sturm durch die Köpfe und Herzen. Die Freiheit, oder vielmehr der Gedanke der Freiheit, ist eigentlich niemals aufzuhalten. Gegen das Gebot der Gleichheit darf es keine Auflehnung geben. Letztlich erfahren dies Herren und Knechte gleichermaßen am eigenen Leib.

An der Pfefferküste von Westafrika soll es, wie der Geograph Carl Ritter gelegentlich berichtet hat, eine vereinte Bestrebung zahlreicher aus den Fesseln der Sklaverei entsprungener Schwarzer geben, einen eigenen Staat zu gründen, in dem das Übel der gesetzlich vorgegebenen Unfreiheit endlich beseitigt ist. All dies könnte ein Zeichen sein. Die falschen Herren sind nun auf der Flucht. Die Vernunft klagt ihr Recht ein, selbst wenn es eine schwarze Vernunft sein sollte.

Dies denkt Hegel, während er – noch liegend - nach seinen Pantoffeln sucht und seine Hände fortwährend ins Leere greifen. Es ist wie verhext. Die Pantoffeln haben sich unsichtbar gemacht. Niemand kommt ihm zu Hilfe. Man denkt jetzt wohl, er sei nicht ganz bei Trost und tappe nach irgendwelchen imaginären Gegenständen. Dabei ist es schließlich das Natürlichste, morgens nach seinen Pantoffeln zu suchen.

Schließlich richtet er sich halb auf und setzt sich an die Bettkante. Die nackten Füße baumeln über dem Boden. Ein trauriger Anblick von Vergänglichkeit. Dieser Halbkreis der Gesichter. Lauter nichtssagende Visagen. Er vermag nicht einmal das Gesicht seiner Frau aus dieser tristen Vorstellung heraus zu sondern. Es ist ihm doch das Schönste gewesen. Die Welt wäre unbewohnbar ohne diesen Anblick. Und jetzt weiß er nicht mehr, wo jenes Gesicht zu finden sein könnte. Gesichter haben ja die merkwürdige Eigenschaft, daß sie verblassen, wenn man sie nicht mehr eingehend betrachtet. Sie werden allmählich grau, verlieren ihre Ausstrahlung und schwinden schließlich dahin.

Ein Schattenreich, in dem es die Liebe nicht gibt. Hier sei es anders. Doch wer sagt, daß die Liebe uns wappnet gegen das durch sie hervorgerufene Unglück? Die Zeit ist aus den Fugen, wenn keine Berührung geschieht. Uns wurden die Hände auf den Rücken gebunden, damit wir nicht tun, was uns von den Sinnen auferlegt ist. Also schreiben wir ins Dunkel hinein, und niemand vermag es zu lesen.

Die beiden Doktoren kommen jetzt näher und der ältere öffnet den Mund. Der Anblick von bräunlich verfärbten oder brüchigen Zähnen ist seit jeher ein widerwärtiger. Überhaupt sind Zähne, sofern sie in Auflösung begriffen sind, so unansehnlich wie Kahlköpfe oder abgeschlagene Köpfe. Kürzlich erzählte mir Wolters, den ich übrigens für einen ausgemachten Dummkopf halte, daß er beim Zahnarzt gewesen sei, der ihm einen Weisheitszahn ausgebohrt habe. Dies dauerte schon eine Weile, und der Schmerz wurde stärker und hartnäckiger. Dann habe der Arzt eine Zange genommen, den Zahn mit erstaunlicher Leichtigkeit herausgebrochen und ihm dann das blutverschmierte Exemplar mit den Worten präsentiert, daß dies zwar ein Zahn sei, aber nicht der, welcher hätte behandelt werden müssen.

Eigentlich weiß er nicht so recht, was diese Geschichte besagen soll. Vielleicht ist es die Angst vor der Wurzel, welche die falsche sein könnte. Die Doktoren bewegen noch immer die Lippen, ohne daß er auch nur ein Wort verstünde. Der andere legt ihm den Arm auf die Schulter und sagt unterdessen etwas Belangloses. Es kommt ihm lateinisch vor. Sie setzen die Worte und der andere möge sich einen Sinn darauf reimen. Nur die Ungelehrten haben Respekt vor scheinbar gelehrten Floskeln. Vergangenheit zu enträtseln, ist das Vorrecht derer, die in der Gegenwart straucheln.

An das Göttliche glauben die allein, die es selber sind. Das schrieb der Freund in seinem Kerker, im Tübinger Stift. Er hat die Sprachen gelernt, die ihn die Welt zu durchdringen lehrten. Nur einer blieb er zeitlebens treu. Doch sie entfernte sich lautlos von ihm. Ein Mann ohne den mindesten Stolz. All das blieb ihm fremd, was andere von ihm erwarteten. Er hegte die Worte zwischen den Zeilen. Sein Mund floß über vor Stille.

Sie reden mit mir und sagen doch nichts. Vielleicht bin ich ja Scardanelli, oder ein anderer ähnlichen Namens. Namen sind Schicksale, geheimnisvoll und unaussprechlich. Ich erinnere mich, daß in jenem Zimmer, in dem ich ungeahnter Weise aufwachte, das ungelenk gemalte Miniaturbild eines Kindes auf dem Nachtschränkchen stand. Der riesige Kopf jenes Kindes wirkt wie ein aufgeblasener Ballon. Doch eine geradezu bezaubernde Freundlichkeit, ein seltener Glanz geht von seinem halben Lächeln aus. Glücklich sind die, welche es in den Augen der Welt nicht zu sein vermögen.

Ich soll das Zimmer verlassen, soviel verstehe ich aus dem halblauten Gemurmel. Auch Marie drängt mich behutsam aus jenem Zimmer. Im Flur warten andere Leute, denen ich keine Beachtung schenke. Im Salon stehen die Kinder, aufgereiht wie zu einem Festtag. Dabei gibt es gar nichts zu feiern. Immanuel, dessen Bartschatten mir jetzt noch dunkler erscheint als er ist, versucht sich an einem Lächeln. Es wird nur ein schiefes Gesicht daraus, ein hilfloses Grinsen. Alle sind Larven, schlecht bemäntelte Geheimnisse.

Als ich nach dem Verbleib von Christina frage, schaut Marie stirnrunzelnd zu mir auf. Es behagt ihr wohl nicht, den Namen der Aufwartefrau ausgesprochen zu hören. Überhaupt werden Dienstboten ja selten mit ihrem Namen gerufen, sondern man bedient sich gewisser Gesten, um sie herbeizurufen, oder man teilt ihnen einfach einen anderen Namen zu.

Marie sagt etwas zu ihm, und er lauscht dem Echo ihres Satzes in seinem Inneren nach. Er versteht kein Wort. Es klingt wie eine Sprache aus einer anderen Welt. Dann ist er plötzlich mit ihr allein. Es gibt Frühstück, doch das Gespräch versiegt bereits nach den ersten drei Worten. Er hat ja nichts mehr zu sagen. Die Stille liegt wie Mehltau auf allem. Vielleicht aber ist ja auch der Gedanke der Mehltau des Lebens.

Diese bleierne Wirklichkeit. Wir nehmen sie erst dann ernst, wenn sie nicht mehr ernst zu nehmen ist, wenn nämlich alles vollständig *ausgelebt* ist. Daher bleibt nur der Gedanke, dessen Sinn allerdings noch im Unklaren ist. Doch wenn die Rätsel gelöst sind, ist alles dahin.

Wenn er dies sagte, würde Marie wohl verstummen. Hat sie eigentlich irgendetwas von ihm gelesen? Sicherlich sämtliche Briefe, vielleicht auch den einen oder anderen Absatz seiner Werke. Aber deren Zusammenhang bleibt ihr verschlossen, das Spinnennetz eines allesüberspannenden Systems. In dessen Mitte lauert der Gelehrte und wartet auf seine Beute. Die Dialektik ist jenes Gift, das zugleich sein eigenes Gegengift sein könnte.

„Leg dich hin", sagt Marie und sicherlich meint sie es gut. Ihre Augen sind dunkelgerändert. Was sie wohl denken mag? Sie behält es für sich. Sie ist gezeichnet von Sorge, ein Merkmal des nahenden Alters, in dem die Ängstlichkeit vorherrschen wird und die Gedanken sich in lauter mehr oder weniger wichtigen Einzelheiten verzetteln.

Es geht ein Riß durch die Welt. Er wird auch durch die Herzen gehen, und es bleibt dort eine Wunde zurück, eine Welle zurückgehaltenen Atems. Vielleicht ist dies dann der Tod. Oder ein neuer Anfang, der nichts weiter verheißt als die Berührung zweier entfernter Gedanken, die in einem neuen Körper verschlossen sind.

Im Liegen verlieren die Dinge ihr Gewicht. Der Vorhang schließt sich, wie auch die Augen sich langsam nach innen wenden. Eine umgekehrte Welt ist im Entstehen. Und sie erscheint. Eine weiße Mauer taucht aus dem Unklaren. Was dahinter liegt, ist verborgen. Ein geflügeltes Wesen scheint an der Mauer befestigt, nicht lebendig, sondern als ein lebensgroßes Bildwerk aus schwarzglänzendem Holz. Eine Art Engel. Die rechte Hand dieses Engels stützt sich auf die Mauer, während der Blick dieses Engelwesens auf das gerichtet ist, was außer Sichtweite und noch nicht zu erkennen ist.

Es scheint, als blickte er auf eine zu Ende gehende Geschichte. Seine Augen sind aufgerissen, der Mund steht offen. Alles Schreckliche liegt vielleicht schon hinter ihm. Unsichtbare Trümmer, Geröll der Enttäuschung, versprengte Reste der furchtbarsten Zeit sind da aufgehäuft. Gibt es jemand, der dieses zu sammeln versteht, der all das Unheilbare, alles Zerstörte, der Welt vor die Füße Geworfene wieder zusammentragen möchte, um jenes Abgelebte erneut zusammenzufügen?

Es weht ein Sturm aus dunklem Hintergrund. Dieser Sturm aber verfängt sich in den Flügeln des Engels, derart, daß er sie nicht mehr zu schließen vermag. Und der Sturm reißt ihn von der Mauer, schleudert ihn hinauf in einen Himmel, der fremder ist als jedes Paradies es je sein könnte.

Und dann fällt er. Der Engel stürzt, so tief, wie ein Engel nur stürzen kann. Als sein Körper schließlich auf der Erde aufschlägt, beginnt sich das Leben langsam wieder in ihm zu regen. Doch er hat seine Flügel verloren. Seiner Unschuld beraubt, liegt er da, weiß nicht mehr, wie er sich jemals aufheben könnte. Was ihn umgibt, taucht erst allmählich in den Blick.

Es ist ein Garten, der ihm bekannt vorkommt. Ein nach den Regeln einer kunstvollen Geometrie geordneter Raum aus Blumenbeeten, Rabatten und Spalieren, die in allen möglichen Farben leuchten. Wer seinen Weg sucht, verliert sich in einem herrlichen Labyrinth. Es scheint Frühling zu sein. Die Luft ist lau und schmeckt nach verlorener Jugend. Brunnen und Wasserbecken in selbstvergessenem Gespräch. Es gibt dort auch lebensgroße Skulpturen aus Sandstein, die Götter zeigen, an die längst keiner mehr glaubt. Worüber sie wachen, weiß niemand zu sagen.

Eine schmale Allee, an beiden Seiten von Linden gesäumt, durchschneidet den Garten in einer langgestreckten Diagonale. Da sind Leute unterwegs, Spaziergänger, die Gesichter mit weißen Schleiern verhüllt. Niemand spricht. Eine geisterhafte Ruhe liegt über allem. Bei genauerem Hinschauen zeigt sich, daß die hintereinander schreitenden Spaziergänger durch ein beinahe unsichtbares Band miteinander verknüpft sind, gerade so, als zöge sie jemand aus der Ferne mit leiser Macht zu sich heran.

Der gestürzte Engel trägt ein Gewand, das vielleicht einmal einem König zur Ehre gereicht hat. Dessen Farbe ist ein verschossenes Blau, ein Uniformstoff, der wohl manche Kriege gesehen hat. Jetzt ist er zerfetzt und hängt ihm wie zum Spott um den blutig verschrammten Körper. Der einstige Engel bewegt sich nun langsam und schleppend. Vielleicht schmerzt ihn eine Wunde am linken Bein. Dieses zieht er leicht nach, wie ein vom Schlachtfeld heimkehrender Krieger.

Das Mittagslicht blendet, so daß er mit seiner Rechten die Augen beschirmt. Jetzt weiß er, warum all die anderen einen Schleier vor dem Gesicht tragen. Es ist die Sonne, die ihnen den Blick verstellt und sie blendet. Eine gleißende Helle, die kein Erbarmen kennt. Aus dem weißen und wolkenlosen Himmel regnen die Pfeile des Lichtes herab. Und sie treffen auf jenen Tropfen, der sich gerade am Rande des Brunnens gebildet hat. Ein ungeheurer Tropfen, welcher die seltene Größe eines Kinderköpfchens annimmt. Mit jener ausufernden Langsamkeit, in der dieser Tropfen gewachsen ist, scheint auch das Licht im Einklang zu sein. Der eigentümliche Tropfen wird von dem Lichtpfeil in Zeitlupe durchbohrt, so daß sowohl eine zarte Eintrittswunde als auch dessen Austrittspunkt erkennbar wird. Jener Punkt bezeichnet die Schmerzgrenze.

Der Schmerz ist eine Art Heiliges, Geburtswehen eines höheren Geistes. Es ist weit mehr als ein Unglück, welches äußerlich bleibt. Der Schmerz muß ja erst innerlich werden. Der größte Schmerz ist vielleicht das Bewußtsein der eigenen Nichtigkeit. Ein unglückliches Bewußtsein also. Zugleich wächst darin die Sehnsucht nach einem Zustand jenseits der Entzweiung. Diese Sehnsucht ist tief und weitaus schlimmer noch als Hunger und Durst, ein unendliches Verlangen nämlich.

Wer solches denkt, kann nicht träumen. Er hat eine Stufe erreicht, in der er unversöhnt mit sich bleibt. Der Schlaf ist immer zugleich ein Schlaf der Vernunft. Vollkommen und traumlos. Jedes Erwachen wäre gleichbedeutend mit dem Erwachen in einem anderen.

Die Spaziergänger bewegen sich plötzlich schneller, als würde am anderen Ende das Band auf einmal heftiger gezogen. Und auch der Engel hat es mit einem Mal eilig, wobei der Rhythmus seiner Schritte jedoch ungleichmäßig ist, beinahe taumelnd aufgrund jener Schmerzen, die ihm das rasche Gehen verursacht.

Und von Norden her weht eine Musik. Zuerst ist es nur eine rauhe Bewegung der Luft, das Ungestüm eines Windes. Doch dann mischt sich anderes hinein. Die Zartheit des Ungefähren. Worte verwirbeln darin. Es sind verästelte Klänge. Ein musikalisches Denken. Eine Ordnung ist bestimmt durch das richtige Verhältnis der einzelnen Elemente in einem Ganzen. Ein harmonisches Verhältnis der Zahlen bewirkt einen Klang, der dem Gehör wohltut.

Ein Begriff läßt sich daraus zweifellos nicht gewinnen. Dieser ist ja ein deutlich umrissener Körper im Nebel. Nur zu erdenken, niemals anzuschauen. Eine noch unsichtbare Form, etwas, das noch ungegenständlich ist. Wenn man es hören könnte, wäre es eine Art Oberton, der Nachhall eines Früheren und Vorklang eines Unerhörten.

Erst jetzt bemerkt der mühsam vorankommende Engel, daß jene, die in einer scheinbar unendlichen Reihe zu beiden Seiten neben ihm gehen, bronzene Glöckchen wie zum Schmuck um den Hals tragen. Er stellt sich vor, daß deren feines Geläut klingen dürfte wie eine tönende Himmelsmechanik. Musik, die verursacht ist durch die Bewegung der Sterne, Meteore und Kometen. Als seien die Himmelskörper zur Erde herabgefallen, und würden sich nun wieder erheben, jedoch in verwandelter Gestalt. Dieser Klang hätte das Licht im Gefolge. Eine Sonne, die in der Mitte eines Gedankens kreist.

Die Glöckchen, so heißt es in einem Buch, das niemand geschrieben hat, wurden einst in einer Stadt in Etrurien den Toten um den Hals gelegt. Dann bettete man ihre Körper auf eine aus Tuffstein gefertigte Liege, ihre Köpfe auf ein in Stein gehauenes

Kissen. Darüber wölbte sich das Grab. Ein kleines Haus für die Ewigkeit. Sie sollten es gut haben darin. Krüge mit Wein standen bereit, auch Gefäße für Brot und Öl. Die letzte Wegzehrung. An alles hatte man gedacht. Die Wandbilder zeigten springende Delphine und auch Vögel in taumelndem Flug. Dieses Glück liegt begraben in unterirdischer Luft. Kein Eulenruf, kein Klee, der weiße Blätter treibt. Und irgendwann käme wirklich ein Gott, um jene Toten zu erwecken. Dann würden die Glöckchen ertönen, und der Leichnam wäre nicht länger ein Haufen Asche oder ein umherirrender Schatten, sondern vielmehr ein neuer Mensch.

Dies alles stünde in jenem Buch geschrieben. Und noch vieles mehr, was schwerlich zu sagen ist. Aber es gibt ja keinen, der dieses Buch hätte schreiben können. Jeder muß es für sich erfahren. Dieses ungeschriebene Buch wäre also kein mit Händen zu greifender Gegenstand, in den man sich nach Belieben vertieft. Es wäre ein Körper, der atmet und spricht. Ein lebendiges Buch, in dem jede aufgeschlagene Seite ein neuer Gegenblick auf sich selbst sein könnte. Wer es liest, gewänne einen Himmel, wo er nicht ist.

Der Engel sieht nun auch Tiere, die aus den Gärten leise hervorbrechen und sich zwischen den Menschen bewegen: Eichhörnchen, die von den Bäumen herabzufliegen scheinen und im nächsten Augenblick schon anderswo landen. Rasch auftauchende und fliehende Rehe, auch Hirsche mit stolzem Geweih, Marder in seidigem Fell. Mäuse und Haselmäuse, die nach Nahrung gieren, langsame Igel im Stachelkleid. Und die Luft füllt sich mit schillernden Vögeln.

Die Landschaft verwandelt sich, taucht ins Dunkel hinab. Die Reihe der Schreitenden wird jäh unterbrochen. Jemand ist aufgetaucht, der Schrecken verbreitet. Es ist ein riesenhaftes Wesen, nackt und wild wie ein Zyklop. Obwohl er ungeheuerlich groß ist, bewegt er sich zusätzlich auf Stelzen, die ihn noch größer machen und seine ungeheuren Schritte beflügeln. Sein Kopf wirkt wie ein Felsblock. Die strähnigen Haare stehen ihm zu Berge. Seine weit aufgerissenen Augen vermögen alles zu erfassen, obwohl nur noch das Weiße darin zu sehen ist. Mit seiner riesigen Hand ergreift er ein paar der harmlosen Spaziergänger und reißt sie in die Höhe. Panik bricht aus. Menschen und Tiere flüchten, ohne zu wissen wohin. Die Angst ist ein Schrei, der nichts Menschliches an sich hat.

Der Riese ist das, was in den schlimmsten Träumen umhergeistert. Ein Oger. Er stammt aus der unteren Welt. Ein Unhold, der allen Schrecken einjagt. Keine harmlose Märchengestalt, sondern ein Wesen, dessen entsetzlichen Schatten man schon vor langer Zeit an die Wand malte, um ihn zu bannen. Eine Warnung an Lebende und Tote. Immerzu treibt ihn der Hunger. Was er am liebsten verzehrt, ist das Fleisch der Menschen, im Besonderen aber der Kinder. Er schnüffelt, und riecht sie schon aus weiter Entfernung. Der Oger versteht sich darauf. Und wenn er das Gesuchte findet, dann kennt er kein Erbarmen. Aber gewöhnlich werden nur die gefressen, die sich fressen lassen.

Ergreift er aber einen, so ist jener verloren. Wer vermag sich zu retten aus den Klauen seiner unbändigen Einfalt? Denn er ist nicht viel mehr als ein Ungeheuer an Torheit, ein Monstrum geistiger Blindheit. Einst war er schwarz wie die Nacht, jetzt ist er so bleich wie ein Totenhemd. Wenn man ihn malte, dann müßte er ein Koloss sein, der über alle hinausragt. Sein Kopf wüchse hinein in den finsteren Himmel. Die riesigen Fäuste wären gegen den Himmel erhoben. Wen er verflucht, bleibt unsichtbar über zerrissenen Wolken. Und alles, was unter ihm ist, flieht. Die Welt ist in Auflösung begriffen.

Wer dieses malen könnte, hätte keine Ruhe mehr vor sich selbst. Die Geister sind in ihm, lauter Gespenster der aufgelösten Nacht. Er malt stets bei Nacht und trägt einen hohen Hut, an dessen breiter Krempe acht halbe Kerzen brennen. Das Wachs fließt ihm in die Stirn und in die Augen. Und er spürt jenen Schmerz als eine Strafe, die über ihn verhängt worden ist. Vom Himmel durch die Welt zur Hölle. Wenn er die Farben mischt, weiß er, daß wieder ein neues Gesicht daraus auftauchen wird, eine andere Fratze der Einbildungskraft.

Das Bild, was schließlich erscheint, ist ein lebendiges Bild. Alles ist darin festgehalten. Ein echtes Bild verzeichnet die Welt. Es ist die genaue Mitte zwischen Metapher und Gleichnis. Mehrere Erscheinungen werden in eins gesetzt: So entsteht eine Bedeutung, wie sie zuvor niemals angeschaut werden konnte. Und es gibt kein Ende der Betrachtung. Es ist ein unendlicher Spiegel, in dem wir uns allmählich erkennen. Der Gedanke aber ist die Braut des Wortes.

Was ist das Unverhüllte, das sich jetzt zeigt? Das Gedächtnis ist bloß eine Vorratskammer der Namen. Die Bilder sind an einem anderen Ort. Wer sie aufsucht, der findet seinen ureigenen Schrecken. Der Träumende sieht sich als Engel in zerrissenem Gewand. Schwarz ist er, und schön wie der lichte Tag. Seine Namen sind nun so zahlreich wie die Sterne am Himmel. Er kommt aus einer Ferne, in die er einzugehen versucht. Der Schrecken ist untergetaucht, selbst der Schatten des Riesen ist nicht mehr zu sehen.

Und die Braut, sie kommt ihm entgegen auf jener Allee, welche wieder von Menschen, Bäumen und Tieren gesäumt ist. Eine Mutter und Göttin ist es. Vor aller Zeit ist sie gewesen. Schwarz, einstmals hervorgetaucht aus dem Chaos. Jetzt ist sie von weither gekommen. Aus Asien mag sie stammen, wo sie am Wasser des Ganges verehrt worden ist. Dann zog sie durch Wüsten und fruchtbares Land, die Schar ihrer Anhänger immer im Schlepptau. Im Orient fand sie vorübergehend Heimat, ehe sie vom Libanon aus das Meer überquerte. Ein Stern der Meere, eine Göttin des Himmels. Zu ihr stießen noch andere, aus dem schwarzen Land der Ägypter und den Gebieten von Afrika. Auch vom Norden her kamen weitere, Göttinnen längst verbotener Kulte. Sie sammelten sich alle in ihr, wie Wasser verschiedener Quellen, auf daß sie eins wurden.

Man könnte sie jetzt auf einen Altar stellen, wo sie thronte auf dem Sitz ihrer Weisheit. Alle würden sie sehen und in ihre Tiefe hinabsteigen. Es wäre ein neuer Anfang vielleicht. Vielleicht aber stürzte man sie von ihrem Sockel. Sie wäre nicht länger ein Bildwerk, das man verehrt. Man könnte sie auch auf eine Säule stellen, wo sie ein weiblicher Engel wäre, eine Rose aus blühendem Nichts.

Sie war und sie ist ein Ding der Natur, zu finden in Wäldern, in blankgeschliffenen Steinen. Durch sie entspringt das Süße aus dem Felsen, Milch und Honig strömt von den Hügeln. Sie ist jener verborgene Strom, der alles erquickt.

Wen sie berührt, der spricht fortan in einer anderen Sprache. Sie ist die Stimme der Stummen und das Auge der Blinden. Der einstige Engel fällt wie tot vor ihr nieder. Seine Stimme versagt angesichts dieser Fülle. Sie neigt ihr schwarzes Haupt und spricht zu ihm

Schau: Diese Kuppel über uns ist ganz aus menschlichen Gebein.
Das Beinhaus aufgegebener Ewigkeit. Ein Himmel der Betrogenen.
Vielleicht einmal eine Stätte der Musen, wenn alles längst
überstanden ist. Dann haben die Schönfärber das Sagen.
Die Erzählung der Zukunft wird nur erschrecken.
Wer es voraussieht, der hat
die Zeiten durchschritten, ist über Meere und Länder gekommen,
hat alles durchlitten, was sich nur denken läßt. Es sind viele
gewesen, die mir gefolgt sind, auf der
Suche nach einem verlorenen Land.
Jetzt ist der Augenblick
ihrer geträumten Freiheit gekommen.
Für lange Zeit waren sie nichts als Komplizen ihrer
eigenen Lügen.
Jetzt aber: Für einen Lidschlag scheint alles verwandelt.
Das Flüstern der Welt ist verstummt.
Fluchworte werden zu nichts auf den Lippen.
Die ganze verdorbene Schöpfung wuchert über sich selbst hinaus,
eine tropische Schlingpflanze, die sich emporwindet,
lechzend nach einer anderen Wahrheit.
Aber es ist nur die halbe Wahrheit. Der Rest bleibt für immer verborgen.

Sie wird dir fremd vorkommen, und dir den Atem verschlagen,
sie wird dich alleine zurücklassen, dort, wo der Gedanke
endlich zu singen beginnt.
Es ist eine Musik, von der du einmal geträumt hast mit einem anderen.
Er war dir voraus. Sein Name bleibt in dir
eingeschrieben, als Zeichen, als Warnung.
Viele werden dir folgen, viele werden hinter dir zurückbleiben.
Die Erinnerung ist ein Gefängnis, das du dir selbst geschaffen hast,
die Zelle keiner Erlösung.
In diesem Kerker bleibt dein Leben ein Traum:
Und du bist ein Prinz, der niemals König sein wird.

Wie es endete

Das Ende ist rasch erzählt. An jenem verregneten Morgen des fünfundzwanzigsten September 1830 erwachte Hegel durch nicht enden wollendes Hundegebell. Er glaubte im Zwielicht des Erwachens etwas Schwarzes mit rötlich funkelnden Augen vor sich zu sehen. Der schwarze Hund ist ein Vorbote des Todes, wie die Mutter zu sagen pflegte. Eine heisere Stimme befahl dem Hund, endlich Ruhe zu geben. Dann war es plötzlich so still, daß man eine Stecknadel hätte fallen hören können.

Er blickte auf die Straße hinunter, sah ein paar Leute, die ihm nicht geheuer erschienen. Ein hoher Mann in schwarzem Gehrock und mit Zylinder stand etwas abseits und unterhielt sich angeregt mit einem Jungen zweifelhaften Aussehens. Immer noch wird hinter vorgehaltener Hand von dem mißglückten Aufstand der Schneidergesellen gesprochen, deren Aufruhr vor ein paar Tagen von Polizei und Militär erfolgreich niedergeschlagen wurde. Es liegt etwas in der Luft, für das es noch keine rechten Worte gibt.

Nicht daran denken, sagte er sich. Auch das andere sollte man sich aus dem Kopf schlagen. Das nämlich, was aus dem Dunkel hervortaucht wie ein Phantom, um dann wieder zusammenzufallen, genau wie gewisse Spielfiguren der Kinderzeit, die kraft der

129

Bewegung von Daumen und Zeigefinger aufstehen und dann wie durch Zauberei in sich zusammenbrechen. Träume sind Ausscheidungen des Geistes, stinkende Reste, Peinlichkeiten, die man getrost vergessen darf.

Er fühlte sich deutlich wohler und klarer an jenem Morgen. So etwa könnte man sich fühlen, wenn eine alte Haut abgestreift wird. Sie läge dann vor einem, das Eigene, von sich selbst Abgelöste, vollkommen fremd geworden.

Nach dem Frühstück, das er alleine in seinem Arbeitszimmer zu sich nahm, holte er die ersten Mitschriften seiner „Vorlesungen über die Philosophie der Geschichte" aus dem Geheimfach seines Schreibtischs hervor. Die Handschrift des Schreibers wirkte fahrig und war schwerlich zu entziffern. Eine regelrechte Klaue. Ein Gewitter der Worte. Dieser Dr. Heimann hätte vielleicht Schönschrift üben sollen, bevor er sich der Mühe unterzog, das während der Vorlesung Gehörte schriftlich zu fixieren. Hegel begann zu lesen. Es kam ihm mit einem Mal etwas unheimlich vor, was er da laut gedacht und gesagt haben sollte. Wie man es in ein Buch fassen könnte, schien ihm noch völlig unklar zu sein.

Er nahm sich vor, da und dort einige Änderungen, Abmilderungen des allzu harschen Wortlauts vorzunehmen. Aber es mochte ihm nichts Mildes einfallen. Er strich da und dort einen halben Satz aus, um diesen dann an einer anderen Stelle wieder einzufügen. Es gefiel ihm nicht. Also nahm er sich den gesamten Text jener ersten Vorlesungsmitschrift vor. Er begann damit, sich den Abschnitt, welcher von Afrika handelte, selbst laut vorzulesen. Sein eigener Zuhörer zu sein, erschien ihm befremdlich und erheiternd zugleich.

Es schien ihm sogar, als spräche da gar nicht er selber, sondern ein anderer, der seine Stimme bloß nachäffte. Ein gewisser Ton, vielleicht auch ein Unterton, lag darin verborgen, der ihn aufs Äußerste irritierte. Als er bei dem Satz angelangt war, in dem von *der unterschiedslosen gedrungenen Einheit* der Afrikaner die Rede ist, versagte ihm plötzlich die Stimme. Vielleicht war es ein Frosch im Hals. Er stand auf, ging in die Küche, um sich ein Glas Wasser zu holen.

Er leerte ein Glas, nahm dann das Glas und die Karaffe mit sich ins Arbeitszimmer. Wieder ein Versuch, die eigenen Worte zum Klingen zu bringen. Die Kehle wurde ihm trocken, als hätte er plötzlich Sand im Mund, den Flugsand der Wüste, oder das Knochenmehl einer anderen Zeit. Noch ein Schluck Wasser. Dessen abgestandener Geschmack. Auch in einem Wassertropfen könnte der Tod verborgen sein.

Und Hegel mußte husten, spuckte sogar ein paar Tropfen auf das Papier. Die Sätze verschwammen plötzlich vor seinen Augen. Vor langer Zeit, als er noch ein Kind gewesen war, hatte er einmal im Traum geweint. Etwas Unaussprechliches war geschehen. Damals hatte er geträumt, daß er fiele, immer tiefer und tiefer, ohne jemals irgendwo aufzuschlagen.

Einzelne Wörter tauchten jetzt wie Inseln auf aus einem Meer von schwarzer Tinte. Manche Sätze waren bereits unlesbar geworden. Was geschieht mit den Wörtern, wenn sie ausgelöscht sind? Wie sich die Zusammenhänge wieder herstellen lassen könnten, erschien ihm jetzt rätselhaft.

Alles existiert eigentlich nur in unserer Vorstellung, dachte sich Hegel. Was wir sagen oder schreiben, hat daher notwendigerweise den Charakter des Zufälligen. Es könnte so, es könnte aber auch völlig anders sein. Wer entscheidet, was zwischen den Zeilen sein Unwesen treibt? Vielleicht ist die Schrift eine Fälschung. Jeder geschriebene Satz lockt ja eine Heerschar von Deutungen aus ihrem Hinterhalt. Und sie bekämpfen sich, all diese toll gewordenen Gedanken, wie räudige Hunde fallen sie übereinander her.

Tatsächlich, so dachte Hegel weiter, ist die ganze Welt nicht mehr als ein einziges Schlachtfeld der Gedanken. Welcher am Ende siegt, hat seinen sicheren Grund bereits verloren. Er seufzte. Jetzt alles auszustreichen, bis das Blatt sich verdunkelte, um dann wieder weiß zu werden. Er seufzte.

Dann vertiefte er sich weiter in seine eigenen fremden Wörter und Sätze, die ihn jedoch so traurig stimmten, daß ihm Tränen in die Augen stiegen. Etwas, das sich nicht aufhalten ließ.

Aber es war nur für einen Moment.

Ansichten und Mutmaßungen
des Professors Hegel
in Bezug auf Afrika, seine Landschaften, seine Bewohner,
deren Sitten und Eigenarten,
erstmalig öffentlich mitgeteilt in seinen
„Vorlesungen über die Philosophie der Geschichte",
Einleitung, Abschnitt C.

„...Jenes eigentliche Afrika ist, soweit die Geschichte zurückgeht, für den Zusammenhang mit der übrigen Welt verschlossen geblieben; es ist das in sich gedrungene Goldland, das Kinderland, das jenseits des Tages der selbstbewußten Geschichte in die schwarze Farbe der Nacht gehüllt ist. Seine Verschlossenheit liegt nicht nur in seiner tropischen Natur, sondern wesentlich in seiner geographischen Beschaffenheit. Das Dreieck desselben, (wenn wir die Westküste, die in dem Meerbusen von Guinea einen sehr stark einwärtsgehenden Winkel macht, für eine Seite nehmen wollen und ebenso die Ostküste bis zum Kap Gardafu für eine andre,) ist von zwei Seiten überall so beschaffen, daß es einen sehr schmalen, an wenigen einzelnen Stellen bewohnbaren Küstenstrich hat.

Hierauf folgt nach innen fast ebenso allgemein ein sumpfiger Gürtel von der aller üppigsten Vegetation, die vorzügliche Heimat

133

von reißenden Tieren, Schlangen aller Art, – ein Saum, dessen Atmosphäre für die Europäer giftig ist. Dieser Saum macht den Fuß eines Gürtels von hohen Gebirgen aus, die nur selten von Strömen durchschnitten werden und so, daß auch durch sie kein Zusammenhang mit dem Innern gebildet wird; denn der Durchbruch geschieht nur wenig unter der Oberfläche der Gebirge und nur an einzelnen schmalen Stellen, wo sich häufig unbefahrbare Wasserfälle und wild sich durchkreuzende Strömungen formieren. Über diese Gebirge sind die Europäer seit den drei bis viereinhalb Jahrhunderten, daß sie diesen Saum kennen und Stellen desselben in Besitz genommen haben, kaum hie und da und nur aus kurze Zeit gestiegen und haben sich dort nirgends festgesetzt.

Das von diesen Gebirgen umschlossene Land ist ein unbekanntes Hochland, von dem ebenso die Neger selten herabgedrungen sind. Im sechzehnten Jahrhundert sind aus dem Innern an mehreren, sehr entfernten Stellen Ausbrüche von greulichen Scharen erfolgt, die sich auf die ruhigeren Bewohner der Abhänge gestürzt haben. Ob eine und welche innere Bewegung vorgefallen, welche diesen Sturm veranlaßt, ist unbekannt. Was von diesen Scharen bekannt geworden, ist der Kontrast, daß ihr Benehmen, in diesen Kriegen und Zügen selbst, die gedankenloseste Unmenschlichkeit und ekelhafteste Roheit bewies, und daß sie nachher, als sie sich ausgetobt hatten, in ruhiger Friedenszeit sich sanftmütig, gutmütig gegen die Europäer, da sie mit ihnen bekannt wurden, zeigten. Das gilt von den Fullahs, von den Mandingos, die in den Gebirgsterrassen des Senegal und Gambia wohnen.

Der zweite Teil von Afrika ist das Stromgebiet des Nils, Ägypten, welches dazu bestimmt war, ein großer Mittelpunkt selbständiger Kultur zu werden, und daher ebenso isoliert und vereinzelt in Afrika dasteht, als Afrika selbst im Verhältnis zu den andern Weltteilen erscheint. – Der nördliche Teil von Afrika, der vorzugsweise der des Ufergebietes genannt werden kann, denn Ägypten ist häufig vom Mittelmeer in sich zurückgedrängt worden, liegt am Mittel- und Atlantischen Meer, ein herrlicher Erdstrich, auf dem einst Karthago lag, wo jetzt Marokko, Algier, Tunis und Tripolis sind. Diesen Teil sollte und mußte man zu Europa herüberziehen, wie dies die Franzosen jetzt eben glücklich versucht haben: er ist wie Vorderasien zu Europa hingewendet; hier haben wechselweise Karthager, Römer und Byzantiner, Muselmänner, Araber gehaust, und die Interessen Europas haben immer hinüberzugreifen gestrebt.

Der eigentümlich afrikanische Charakter ist darum schwer zu fassen, weil wir dabei ganz auf das Verzicht leisten müssen, was bei uns in jeder Vorstellung mitunter läuft, die Kategorie der Allgemeinheit. Bei den Negern ist nämlich das Charakteristische gerade, daß ihr Bewußtsein noch nicht zur Anschauung irgendeiner festen Objektivität gekommen ist, wie zum Beispiel Gott, Gesetz, bei welcher der Mensch mit seinem Willen wäre und darin die Anschauung seines Wesens hätte. Zu dieser Unterscheidung seiner als des Einzelnen und seiner wesentlichen Allgemeinheit ist der Afrikaner in seiner unterschiedslosen, gedrungenen Einheit noch nicht gekommen, wodurch das Wissen von einem absoluten Wesen, das ein andres, höheres gegen das Selbst wäre, ganz fehlt.

Der Neger stellt, wie schon gesagt worden ist, den natürlichen Menschen in seiner ganzen Wildheit und Unbändigkeit dar: von aller Ehrfurcht und Sittlichkeit, von dem, was Gefühl heißt, muß man abstrahieren, wenn man ihn richtig auffassen will; es ist nichts an das Menschliche Anklingende in diesem Charakter zu finden.

Die weitläufigen Berichte der Missionare bestätigen dieses vollkommen, und nur der Mohammedanismus scheint das einzige zu sein, was die Neger noch einigermaßen der Bildung annähert. Die Mohammedaner verstehen es auch besser wie die Europäer, ins Innere des Landes einzudringen. Diese Stufe der Kultur läßt sich dann auch näher in der Religion erkennen. Das erste, was mir uns bei dieser vorstellen, ist das Bewußtsein des Menschen von einer höheren Macht, (wenn diese auch nur als Naturmacht gefaßt wird,) gegen die der Mensch sich als ein Schwächeres, Niedrigeres stellt.

Die Religion beginnt mit dem Bewußtsein, daß es etwas Höheres gebe als der Mensch. Die Neger aber hat schon Herodot Zauberer genannt; in der Zauberei liegt nun nicht die Vorstellung von einem Gott, von einem sittlichen Glauben, sondern sie stellt dar, daß der Mensch die höchste Macht ist, daß er sich allein befehlend gegen die Naturmacht verhält. Es ist also nicht von einer geistigen Verehrung Gottes noch von einem Reiche des Rechts die Rede. Gott donnert und wird nicht erkannt: für den Geist des Menschen muß Gott mehr als ein Donnerer sein, bei den Negern aber ist dies nicht der Fall. Obgleich sie sich der Abhängigkeit vom Natürlichen bewußt sein müssen, denn sie bedürfen des Gewitters, des Regens, des Aufhörens der Regenzeit, so führt sie dieses doch nicht zum

Bewußtsein eines Höheren; sie sind es, die den Elementen Befehle erteilen, und dies eben nennt man Zauberei.

Die Könige haben eine Klasse von Ministern, durch welche sie die Naturveränderungen anbefehlen lassen, und jeder Ort besitzt auf eben diese Weise seine Zauberer, die besondere Zeremonien, mit allerhand Bewegungen, Tänzen, Lärm und Geschrei ausführen und inmitten dieser Betäubung ihre Anordnungen treffen. Das zweite Moment ihrer Religion ist alsdann, daß sie sich diese ihre Macht zur Anschauung bringen, sich äußerlich setzen und sich Bilder davon machen. Das, was sie sich als ihre Macht vorstellen, ist somit nichts Objektives, in sich Festes und von ihnen Verschiedenes, sondern ganz gleichgültig der erste beste Gegenstand, den sie zum Genius erheben, sei es ein Tier, ein Baum, ein Stein, ein Bild von Holz.

Dies ist der Fetisch, ein Wort, welches die Portugiesen zuerst in Umlauf gebracht, und welches von feitizo, Zauberei, abstammt. Hier im Fetische scheint nun zwar die Selbständigkeit gegen die Willkür des Individuums aufzutreten, aber da eben diese Gegenständlichkeit nichts andres ist als die zur Selbstanschauung sich bringende individuelle Willkür, so bleibt diese auch Meister ihres Bildes. Begegnet nämlich etwas Unangenehmes, was der Fetisch nicht abgewendet hat, bleibt der Regen aus, entsteht Mißwuchs, so binden und prügeln sie ihn oder zerstören ihn und schaffen ihn ab, indem sie sich zugleich einen andern kreieren; sie haben ihn also in ihrer Gewalt. Es hat ein solcher Fetisch weder die religiöse Selbständigkeit, noch weniger die künstlerische; er bleibt lediglich ein Geschöpf, das die Willkür des Schaffenden ausdrückt, und das immer in seinen Händen verharrt. Kurz, es ist kein Verhältnis der Abhängigkeit in dieser Religion.

Was aber auf etwas Höheres bei den Negern hinweist, ist der Totendienst, in welchem ihre verstorbenen Voreltern und ihre Vorfahren ihnen als eine Macht gegen die Lebendigen gelten. Sie haben dabei die Vorstellung, daß diese sich rächen und dem Menschen dieses oder jenes Unheil zufügen könnten, in eben dem Sinne, wie dies im Mittelalter von den Hexen geglaubt wurde; doch ist die Macht der Toten nicht über die der Lebendigen geachtet, denn die Neger befehlen ihren Toten und bezaubern sie. Auf diese Weise bleibt das Substantielle immer in der Gewalt des Subjekts.

Der Tod selbst ist den Negern kein allgemeines Naturgesetz; auch dieser, meinen sie, komme von übelgestimmten Zauberern her. Es liegt allerdings darin die Hoheit des Menschen über die Natur; ebenso, daß der zufällige Wille des Menschen höher steht als das Natürliche, daß er dieses als das Mittel ansieht, dem er nicht die Ehre antut, es nach seiner Weise zu behandeln, sondern dem er befiehlt.

Daraus aber, daß der Mensch als das Höchste gesetzt ist, folgt, daß er keine Achtung vor sich selber hat, denn erst mit dem Bewußtsein eines höheren Wesens erlangt der Mensch einen Standpunkt, der ihm eine wahre Achtung gewährt. Denn wenn die Willkür das Absolute ist, die einzige feste Objektivität, die zur Anschauung kommt, so kann der Geist auf dieser Stufe von keiner Allgemeinheit wissen. Die Neger besitzen daher diese vollkommene Verachtung der Menschen, welche eigentlich nach der Seite des Rechts und der Sittlichkeit hin die Grundbestimmung bildet.

Es ist auch kein Wissen von Unsterblichkeit der Seele vorhanden, obwohl Totengespenster vorkommen. Die Wertlosigkeit der Menschen geht ins Unglaubliche; die Tyrannei gilt für kein Unrecht, und es ist als etwas ganz Verbreitetes und Erlaubtes betrachtet, Menschenfleisch zu essen. Bei uns hält der Instinkt davon ab, wenn man überhaupt beim Menschen vom Instinkte sprechen kann. Aber bei dem Neger ist dies nicht der Fall, und den Menschen zu verzehren hängt mit dem afrikanischen Prinzip überhaupt zusammen; für den sinnlichen Neger ist das Menschenfleisch nur Sinnliches, Fleisch überhaupt. Bei dem Tode eines Königs werden wohl Hunderte geschlachtet und verzehrt; Gefangene werden gemordet und ihr Fleisch auf den Märkten verkauft; der Sieger frißt in der Regel das Herz des getöteten Feindes. Bei den Zaubereien geschieht es gar häufig, daß der Zauberer den ersten besten ermordet und ihn zum Fraße an die Menge verteilt.

Etwas andres Charakteristisches in der Betrachtung der Neger ist die Sklaverei. Die Neger werden von den Europäern in die Sklaverei geführt und nach Amerika hin verkauft. Trotzdem ist ihr Los im eignen Lande fast noch schlimmer, wo ebenso absolute Sklaverei vorhanden ist; denn es ist die Grundlage der Sklaverei überhaupt, daß der Mensch das Bewußtsein seiner Freiheit noch nicht hat und somit zu einer Sache, zu einem Wertlosen herabsinkt. Bei den Negern sind aber die sittlichen Empfindungen vollkommen schwach, oder besser gesagt, gar nicht vorhanden. Die Eltern verkaufen ihre Kinder und umgekehrt ebenso diese jene, je nachdem man einander habhaft werden kann. Durch das Durchgreifende der Sklaverei sind alle Bande sittlicher Achtung, die wir voreinander haben, geschwunden, und es fällt den Negern nicht ein, sich zuzumuten, was wir voneinander fordern dürfen. Die Polygamie der Neger hat häufig den Zweck, viel Kinder zu erzielen, die samt und sonders zu Sklaven verkauft werden könnten, und sehr oft hört man naive Klagen, wie z. B. die eines Negers in London, der darüber wehklagte, daß er nun ein ganz armer Mensch sei, weil er alle seine Verwandten bereits verkauft habe. In der Menschenverachtung der Neger ist es nicht sowohl die Verachtung des Todes als die Nichtachtung des Lebens, die das Charakteristische ausmacht. Dieser Nichtachtung des Lebens ist auch die große von ungeheurer Körperstärke unterstützte Tapferkeit der Neger zuzuschreiben, die sich zu Tausenden niederschießen lassen im Kriege gegen die Europäer. Das Leben hat nämlich nur da einen Wert, wo es ein Würdiges zu seinem Zwecke hat.

Gehen wir nun zu den Grundzügen der Verfassung über, so geht eigentlich aus der Natur des Ganzen hervor, daß es keine solche geben kann. Der Standpunkt dieser Stufe ist sinnliche Willkür mit Energie des Willens; denn die allgemeinen Bestimmungen des Geistes, z. B. Familiensittlichkeit, können hier noch keine Geltung gewinnen, da alle Allgemeinheit hier nur als Innerlichkeit der Willkür ist. Der politische Zusammenhalt kann daher auch nicht den Charakter haben, daß freie Gesetze den Staat zusammenfassen. Es gibt überhaupt kein Band, keine Fessel für diese Willkür. Was den Staat einen Augenblick bestehen lassen kann, ist daher lediglich die äußere Gewalt. Es steht ein Herr an der Spitze; denn sinnliche Roheit kann nur durch despotische Gewalt gebändigt werden. Weil nun aber die Untergebenen Menschen von ebenso wildem Sinne sind, so halten sie den Herrn wiederum in Schranken.

Unter dem Häuptling stehen viele andre Häuptlinge, mit denen sich der erste, den wir König nennen wollen, beratet, und er muß, will er einen Krieg unternehmen oder einen Tribut auferlegen, ihre Einwilligung zu gewinnen suchen. Dabei kann er mehr oder weniger Autorität entwickeln und diesen oder jenen Häuptling bei Gelegenheit mit List oder Gewalt aus dem Wege schaffen. Außerdem besitzen die Könige noch gewisse Vorrechte. Bei den Aschantees erbt der König alles hinterlassene Gut seiner Untertanen, in andern Orten gehören alle Mädchen dem König, und wer eine Frau haben will, muß sie demselben abkaufen. Sind die Neger mit ihrem König unzufrieden, so setzen sie ihn ab und bringen ihn um.

In Dahomey ist die Sitte, daß die Neger, wenn sie nicht mehr zufrieden sind, ihrem Könige Papageieneier zuschicken, was ein Zeichen ihres Überdrusses an seiner Regierung ist. Bisweilen wird ihm auch eine Deputation zugefertigt, welche ihm sagt: die Last der Regierung müsse ihn sehr beschwert haben, er möge ein wenig ausruhen. Der König dankt dann den Untertanen, geht in seine Gemächer und läßt sich von den Weibern erdrosseln. In früherer Zeit hat sich ein Weiberstaat besonders durch seine Eroberungen berühmt gemacht: es war ein Staat, an dessen Spitze eine Frau stand. Sie hat ihren eignen Sohn in einem Mörser zerstoßen, sich mit dem Blute bestrichen und veranstaltet, daß das Blut zerstampfter Kinder stets vorrätig sei. Die Männer hat sie verjagt oder umgebracht und befohlen, alle männlichen Kinder zu töten. Diese Furien zerstörten alles in der Nachbarschaft und waren, weil sie das

Land nicht bauten, zu steten Plünderungen getrieben. Die Kriegs-
gefangenen wurden als Männer gebraucht, die schwangeren
Frauen mußten sich außerhalb des Lagers begeben und, hatten sie
einen Sohn geboren, diesen entfernen. Dieser berüchtigte Staat hat
sich späterhin verloren. Neben dem König befindet sich in den
Negerstaaten beständig der Scharfrichter, dessen Amt für höchst
wichtig gehalten wird, und durch welchen der König ebenso sehr
die Verdächtigen aus dem Wege räumen läßt, als er selbst wiederum von ihm umgebracht werden kann, wenn die Großen es verlangen.

Der Fanatismus, der überhaupt unter den Negern, trotz ihrer
sonstigen Sanftmütigkeit, rege gemacht werden kann, übersteigt allen Glauben. Ein englischer Reisender erzählt: wenn in Aschantee
ein Krieg beschlossen ist, so werden erst feierliche Zeremonien vo-
rausgeschickt; zu diesen gehört, daß die Gebeine der Mutter des
Königs mit Menschenblut abgewaschen werden. Als Vorspiel des
Krieges beschließt der König einen Ausfall auf seine eigne Hauptstadt, um sich gleichsam in Wut zu setzen. Der König ließ dem
Engländer Hutchinson sagen: »Christ, hab' acht und wache über
deine Familie. Der Bote des Todes hat sein Schwert gezogen und
wird den Nacken vieler Aschantees treffen; wenn die Trommel ge-
rührt wird, so ist es das Todessignal für viele. Komm zum Könige,
wenn du kannst, und fürchte nichts für dich«. Die Trommel ward
geschlagen, und ein furchtbares Blutbad begann: alles, was den
durch die Straßen wütenden Negern aufstieß, wurde durchbohrt.

Bei solchen Gelegenheiten läßt nun der König alles ermorden,
was ihm verdächtig ist, und diese Tat nimmt alsdann noch den

Charakter einer heiligen Handlung an. Jede Vorstellung, die in die Neger geworfen wird, wird mit der ganzen Energie des Willens ergriffen und verwirklicht, alles aber zugleich in dieser Verwirklichung zertrümmert. Diese Völker sind lange Zeit ruhig, aber plötzlich gären sie auf, und dann sind sie ganz außer sich gesetzt. Die Zertrümmerung, welche eine Folge ihres Aufbrausens ist, hat darin ihren Grund, daß es kein Inhalt und kein Gedanke ist, der diese Bewegungen hervorruft, sondern mehr ein physischer als ein geistiger Fanatismus.

Wenn der König stirbt in Dahomey, so sind gleich die Bande der Gesellschaft zerrissen; in seinem Palaste fängt die allgemeine Zerstörung und Auflösung an: sämtliche Weiber des Königs (in Dahomey ist ihre bestimmte Zahl 3333) werden ermordet, und in der ganzen Stadt beginnt nun eine allgemeine Plünderung und ein durchgängiges Gemetzel. Die Weiber des Königs sehen in diesem ihrem Tode eine Notwendigkeit, denn sie gehen geschmückt zu demselben. Die hohen Beamten müssen sich aufs höchste beeilen, den neuen Regenten auszurufen, damit nur den Metzeleien ein Ende gemacht werde.

Aus allen diesen verschiedentlich angeführten Zügen geht hervor, daß es die Unbändigkeit ist, welche den Charakter der Neger bezeichnet. Dieser Zustand ist keiner Entwicklung und Bildung fähig, und wie wir sie heute sehen, so sind sie immer gewesen. Der einzige wesentliche Zusammenhang, den die Neger mit den Europäern gehabt haben und noch haben, ist der der Sklaverei. In dieser sehen die Neger nichts ihnen Unangemessenes, und gerade die Engländer, welche das meiste zur Abschaffung des Sklavenhandels und der Sklaverei getan haben, werden von ihnen selbst als Feinde behandelt. Denn es ist ein Hauptmoment für die Könige, ihre gefangenen Feinde oder auch ihre eignen Untertanen zu verkaufen, und die Sklaverei hat insofern mehr Menschliches unter den Negern geweckt.

Die Lehre, die wir aus diesem Zustand der Sklaverei bei den Negern ziehen, und welche die allein für uns interessante Seite ausmacht, ist die, welche wir aus der Idee kennen, daß der Naturzustand selbst der Zustand absoluten und durchgängigen Unrechts ist. Jede Zwischenstufe zwischen ihm und der Wirklichkeit des vernünftigen Staates hat ebenso noch Momente und Seiten der Ungerechtigkeit; daher finden wir Sklaverei selbst im griechischen und römischen Staate, wie Leibeigenschaft bis auf die neuesten Zeiten hinein.

So aber als im Staate vorhanden, ist sie selbst ein Moment des Fortschreitens von der bloß vereinzelten, sinnlichen Existenz, ein Moment der Erziehung, eine Weise des Teilhaftigwerdens höherer Sittlichkeit und mit ihr zusammenhängender Bildung. Die Sklaverei ist an und für sich Unrecht, denn das Wesen des Menschen ist die Freiheit, doch zu dieser muß er erst reif werden. Es ist also die allmähliche Abschaffung der Sklaverei etwas Angemesseneres und Richtigeres als ihre plötzliche Aufhebung.

Wir verlassen hiermit Afrika, um späterhin seiner keine Erwähnung mehr zu tun. Denn es ist kein geschichtlicher Weltteil, er hat keine Bewegung und Entwicklung aufzuweisen, und was etwa in ihm, das heißt, in seinem Norden geschehen ist, gehört der asiatischen und europäischen Welt zu. Karthago war dort ein wichtiges und vorübergehendes Element, aber als phönizische Kolonie fällt es Asien zu.

Ägypten wird im Übergange des Menschengeistes von Osten nach Westen betrachtet werden, aber es ist nicht dem afrikanischen Geiste zugehörig. Was wir eigentlich unter Afrika verstehen, das ist das Geschichtslose und Unaufgeschlossene, das noch ganz im natürlichen Geiste befangen ist, und das hier bloß an der Schwelle der Weltgeschichte vorgeführt werden mußte."

Nachbemerkung

In das Werk sind einige Zitate und Paraphrasen aus den folgenden literarischen und philosophischen Werken eingeschmuggelt:

William Shakespeare: Othello

„Das Leopardenfell" (Afrikanisches Märchen)

Buch Jesaja, Kapitel 43

Hohes Lied Salomon, Kapitel 1

Psalm 135

„Der König und der Gelehrte" (Afrikanisches Märchen)

Psalm 119

Heinrich Heine: Das Sklavenschiff

Heinrich Heine: Doktor Faust. Ein Tanzpoem

Heinrich Heine: Geständnisse

Heinrich Heine: Die romantische Schule

Friedrich Hölderlin: Gedichte

Cicero: Scipios Traum

Walter Benjamin: Über den Begriff der Geschichte

Georg Wilhelm Friedrich Hegel:
Vorlesungen zur Philosophie der Geschichte

sowie

einige Halbsätze und Wörter aus verstreuten Werken von
mehr oder weniger vergessenen Autoren,
welche zu entdecken zwar lohnend,
aber nicht unbedingt notwendig sein dürfte.